bon appétit

Cuisine thaïlandaise

Christine France

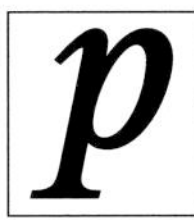

Queen Street House
4 Queen Street
Bath BA1 1HE
Royaume-Uni

Réalisation : *In*texte Édition

ISBN : 1-40543-518-6

Imprimé en Chine
Printed in China

NOTE

Une cuillerée à soupe correspond à 15 à 20 g d'ingrédients secs et à 15 ml d'ingrédients liquides.
Une cuillerée à café correspond à 3 à 5 g d'ingrédients secs et à 5 ml d'ingrédients liquides.
Sans autre précision, le lait est entier, les œufs sont de taille moyenne et le poivre est du poivre noir fraîchement moulu.

La consommation d'œufs crus ou peu cuits n'est pas recommandée aux enfants, aux personnes âgées, malades ou convalescentes et aux femmes enceintes.

Sommaire

Introduction

Les amateurs de cuisine thaïe vous le diront : cette cuisine unique se distingue de celle de ses voisins, même si les influences étrangères s'y font sentir. Ses caractéristiques résultent du climat et de la culture locale, mais des siècles d'invasions et d'émigration ont joué un rôle important dans son évolution.

Les racines de la nation thaïe remontent au premier siècle, à l'époque de la dynastie chinoise des Han. Les T'ai occupaient des terres au sud de la Chine, le long de routes marchandes entre l'Orient et l'Occident. Ils entretenaient des relations proches mais souvent conflictuelles avec les Chinois, ce qui les poussa à émigrer vers le Sud, qui est aujourd'hui le Nord de la Thaïlande, aux frontières du Cambodge et de la Birmanie, territoire qui n'était occupé que par des tribus bouddhistes et hindoues.

Cette émigration aboutit à la fondation du royaume indépendant du Sukhothai (« l'aube du bonheur »), qui devint le Siam. Les portes du Siam gardaient l'accès à une route marchande et les navires venus de l'Europe et du Japon faisaient halte dans les ports côtiers ou remontaient les fleuves, apportant les thés, les épices, la soie, le cuivre et la céramique. Les Portugais introduisirent le piment, au XVIe siècle, dans cette région où la plante prospéra. Le commerce avec les marchands arabes et indiens était aussi très important et de nombreux musulmans élurent domicile au Siam. Le royaume du Siam survécut jusqu'au XXe siècle et, en 1938, devint la monarchie constitutionnelle de Thaïlande.

La Thaïlande est marquée par les influences subies au cours des siècles pendant lesquels les cultures se sont mêlées. Les Thaïlandais sont un peuple indépendant, fier, créatif et passionné. Leur amour de la vie transparaît dans la nourriture et le divertissement. Ils adorent manger, à toute heure, et les rues des villes sont jalonnées de vendeurs ambulants qui proposent sur leur stand, leur charrette ou leur bicyclette, d'innombrables mets plus savoureux les uns que les autres.

Les Thaïlandais adorent les fêtes et, au cours de ces nombreuses manifestations, les plats de fête colorés, sophistiqués et préparés avec le plus grand soin, ils manifestent un profond respect des coutumes et des traditions. Les convives sont régalés d'interminables défilés de plateaux chargés de mets de toutes sortes, de fruits exotiques et de bière thaïe ou de whisky local. Quand on sert un repas, tous les plats sont apportés en même temps, pour que le cuisinier ou la cuisinière puisse apprécier le repas en même temps que ses invités. La présentation, souvent magnifique, constituée de décors raffinés de légumes sculptés, fait la fierté des Thaïlandais. Ce savoir-faire complexe tient une place prépondérante dans la culture thaïe et montre un amour profond des belles choses.

En Thaïlande, la vie quotidienne est réglée sur le changement des saisons, ponctué par les récoltes et les caprices de la mousson. Les Thaïlandais prennent la nourriture très au sérieux, choisissant les légumes avec le plus grand soin, le plus frais possible, et mariant avec art les saveurs délicates et les textures. Le riz est l'aliment essentiel, omniprésent et central à chaque repas, de même que la noix de coco, utilisée sous toutes ses formes. Dans chaque région, les cuisiniers tirent le meilleur des aliments locaux, et les grands classiques de la cuisine thaïe varient souvent d'une région à une autre.

LES BASES DE LA CUISINE THAÏLANDAISE

Les ingrédients de base de la cuisine thaïe sont la noix de coco, le citron vert, le piment, le riz, l'ail, le lemon-grass, le gingembre et la coriandre. Vous pouvez alors créer nombre de plats thaïs typiques. Bien que la liste des ingrédients soit assez longue dans un certain nombre de recettes, les méthodes utilisées sont plutôt simples et à la portée du plus inexpérimenté des cuisiniers.

Le principe de base de la cuisine thaïe réside dans l'harmonie entre les cinq saveurs : amère, acide, piquante, sucrée et salée. Ces saveurs doivent cohabiter harmonieusement dans un plat ou un assortiment, chaque plat contribuant à l'équilibre parfait du repas.

LES INGRÉDIENTS THAÏLANDAIS TYPIQUES

LE BASILIC

Il existe trois types de basilic doux thaïs utilisés. Mais, la variété que l'on trouve en Occident peut convenir. Des épiceries asiatiques vendent des graines de basilic thaï, que vous pourrez faire pousser vous-même.

LES PIMENTS

Les variétés vont de la plus douce à la plus piquante. Les petits piments oiseau verts ou rouges, très utilisés dans la cuisine thaïe sont forts, si vous souhaitez un goût plus subtil, vous pouvez les épépiner. Les rouges sont plus sucrés et plus doux que les verts et les gros piments sont plus doux. Les piments séchés écrasés sont utilisés comme condiment.

LE LAIT DE COCO

Il est obtenu en râpant et en pressant la chair de noix de coco fraîche. Il peu être vendu en boîte, sous forme de poudre déshydratée ou en briques (la crème de coco). La crème de coco correspond à la partie légèrement plus épaisse et plus riche située sur le dessus du lait.

LA CORIANDRE

C'est une herbe aromatique fraîche, au goût piquant d'agrume, très employée dans la préparation de mets savoureux. Si vous pouvez, essayez d'en trouver avec la racine.

LE GALANGA

De la famille du gingembre, avec un goût plus doux et plus aromatique. Il est vendu frais ou séché.

L'AIL

L'ail est utilisé entier, haché, coupé en rondelles ou émincé pour donner de la saveur aux plats et aux currys. L'ail au vinaigre est aussi utilisé, surtout en garniture.

LE GINGEMBRE

Le gingembre frais est pelé et râpé, haché ou coupé en rondelles pour un goût chaud et épicé.

LES FEUILLES DE LIME KAFIR

Elles possèdent un net parfum de citron vert et peuvent s'acheter fraîches, séchées ou surgelées.

LE LEMON-GRASS

Une plante aromatique exotique au parfum similaire à celui du baume de citron. Retirez les feuilles extérieures fibreuses et coupez le reste en rondelles ou écrasez–le et utilisez-le entier. Le lemon-grass est aussi disponible déshydraté sous forme de poudre.

LE SUCRE DE PALME

Il s'agit d'un riche sucre roux non raffiné tiré de la palme de noix de coco et vendu en blocs solides. Réduisez-le en poudre à l'aide d'un maillet ou d'un rouleau à pâtisserie. Le sucre roux peut être un substitut.

LE VINAIGRE DE RIZ

Il est utilisé pour assaisonner et aromatiser les plats et peut être remplacé par du xérès ou du vinaigre de vin blanc.

LA SAUCE DE SOJA

La sauce de soja claire et la sauce épaisse sont utilisées dans l'assaisonnement, mais la claire est plus salée. La claire est surtout utilisée pour les sautés ou avec des viandes légères, la sauce épaisse apporte de la couleur et un goût plus mûr, riche, aux viandes rouges braisées.

LA PÂTE DE TAMARIN

Souvent vendue en blocs, elle est utilisée pour apporter une touche aigre-douce. Faites tremper la pulpe 30 minutes à l'eau chaude, pressez-en le jus et jetez la pulpe ainsi que les graines.

LA SAUCE DE POISSON THAÏE

Aussi appelée nam pla ou nuoc mam, elle est utilisé en remplacement du sel dans l'assaisonnement pour son goût intense et unique. Elle est préparé à base de poisson salé fermenté.

Hors-d'œuvre & Soupes

La structure d'un repas thaïlandais est plus flexible qu'en Occident car il n'y a pas d'entrées ni de plats principaux à proprement dit. Au lieu de ça, soupes, plats d'accompagnement, nouilles, riz et plats principaux sont présentés en même temps. De petits en-cas ou amuse-gueule peuvent être servis au goûter ou avant de passer à table.

De nombreuses recettes de ce chapitre sont de savoureux en-cas que l'on peut déguster à tous moment de la journée ainsi que lors de fêtes et cérémonies diverses. Les Thaïlandais mangent lorsqu'ils ont faim et les marchants ambulants sont là pour les satisfaire à tous les coins de rue avec un grand choix d'appétissants casse-croûte qu'ils vendent depuis leur stand ou leur bicyclette. Chaque marchand a sa spécialité, que ce soit les croquettes de crabe ou les travers de porc, les moules à la vapeur ou la soupe au riz.

En Thaïlande, la soupe fait partie intégrante des repas, y compris du petit-déjeuner. Le déjeuner comprend un bol de soupe consistante, préparée à base de bouillon léger, relevé de piment rouge ou vert et agrémenté de nouilles fines, riz, miettes d'œuf, boulettes de poisson ou dés de tofu. Dans les restaurants, les soupes sont servies dans de grands plats en terre cuite équipés au centre d'une cheminée remplie de charbons ardents pour tenir les aliments au chaud.

Beignets de crevettes tigrées à la sauce de soja claire

De délicieuses petites bouchées riches en saveur servies avec une sauce de soja claire – idéales en entrée pour se mettre en appétit ou en guise d'en-cas épicé.

4 personnes

INGRÉDIENTS

SAUCE
1 petit piment oiseau rouge, épépiné
1 cuil. à café de miel liquide
4 cuil. à soupe de sauce de soja

BEIGNETS
2 cuil. à soupe de coriandre fraîche hachée
1 gousse d'ail
1 cuil. à café $^1/_2$ de pâte de curry rouge
16 carrés de pâte à wonton
1 blanc d'œuf, légèrement battu
16 crevettes tigrées crues, décortiquées avec la queue
huile de tournesol, pour la friture

1 Pour la sauce, hacher finement le piment, bien mélanger avec le miel et la sauce de soja et réserver.

2 Pour les beignets, hacher finement la coriandre et l'ail, et mélanger avec la pâte de curry.

3 Enduire chaque carré de pâte à wonton avec le blanc d'œuf et mettre une petite quantité de farce au centre de chacun d'entre eux.

4 Envelopper chaque crevette dans un carré de pâte en laissant dépasser la queue.

5 Chauffer l'huile à 180 °C, un dé de pain doit y dorer en 30 secondes. Faire frire les beignets en plusieurs fois, 1 à 2 minutes chacun, jusqu'à ce qu'ils soient croustillants et dorés. Égoutter sur du papier absorbant et servir accompagné de la sauce.

VARIANTE

Vous pouvez remplacer les carrés de pâte à wonton par de la pâte filo. Utilisez un rectangle de pâte assez long, posez la crevette à une extrémité, dorez les bords de la pâte au blanc d'œuf et roulez pour obtenir le beignet, qu'il ne vous restera plus qu'à faire frire.

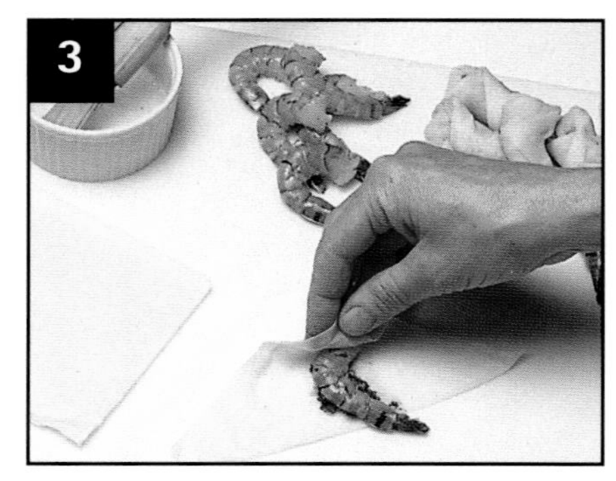

Toasts de poulet et de crevettes au sésame

Cette recette est très populaire notamment dans les pays de l'Est. Ces délicieux toasts croustillants sont très faciles à réaliser et parfaits pour un buffet.

Pour 72 toasts

INGRÉDIENTS

4 cuisses de poulet, désossées, sans la peau
100 g de crevettes, cuites et décortiquées
1 petit œuf, battu
3 oignons verts, finement émincés
2 gousses d'ail, hachées
2 cuil. à soupe de coriandre fraîche hachée
1 cuil. à soupe de sauce de poisson thaïe
1/2 cuil. à café de poivre noir moulu
1/4 de cuil. à café de sel
huile de tournesol, pour la friture
12 tranches de pain de mie, sans croûte
8 cuil. à soupe de graines de sésame
lanières d'oignons verts, en garniture

1 Dans un robot de cuisine, mixer très finement le poulet et les crevettes, ajouter l'œuf, les oignons verts, l'ail, la coriandre, la sauce de poisson, le poivre et le sel, et mixer quelques secondes, jusqu'à obtention d'un mélange homogène.

2 Étaler cette préparation sur les tranches de pain en couvrant bien toute la surface, parsemer les graines de sésame sur une assiette et appliquer le côté garni des toasts pour qu'ils soient bien recouverts de sésame.

3 À l'aide d'un couteau tranchant, couper chaque tranche de pain en 6 morceaux.

4 Chauffer environ 1 cm d'huile dans une grande poêle, jusqu'à ce qu'elle soit très chaude et faire revenir plusieurs toasts à la fois, 2 à 3 minutes, en retournant une fois jusqu'à ce qu'ils soient bien dorés.

5 Égoutter sur du papier absorbant, garnir de lanières d'oignons verts et servir chaud.

CONSEIL

Si vous préparez ce plat pour une occasion particulière, préparez-le à l'avance et placez-le au réfrigérateur ou au congélateur. Couverts, vous pouvez conserver ces toasts jusqu'à 3 jours au réfrigérateur et jusqu'à 1 mois au congélateur, dans un sac à congélation ou un récipient fermé. Dans ce cas, laissez-les décongeler complètement au réfrigérateur et réchauffez-les 5 minutes à la poêle.

Galettes de poisson thaïes à la sauce aux cacahuètes pimentée

Ces petites galettes sont vendues en Thaïlande par des marchands de rue et constituent un en-cas délicieux. Vous pouvez également les servir en entrée et les accompagner d'une sauce aux cacahuètes.

4 à 5 personnes

INGRÉDIENTS

350 g de filets de poisson à chair blanche, du cabillaud ou de l'églefin, sans la peau
1 cuil. à soupe de sauce de poisson thaïe
2 cuil. à café de pâte de curry rouge
1 cuil. à soupe de jus de citron vert
1 gousse d'ail, hachée
1 blanc d'œuf
4 feuilles de lime kafir séchées, hachées
sel et poivre
3 cuil. à soupe de coriandre fraîche hachée
huile, pour la friture
salade verte, en accompagnement

SAUCE AUX CACAHUÈTES
1 petit piment rouge
4 cuil. à soupe de lait de coco
1 cuil. à soupe de sauce de soja claire
1 cuil. à soupe de jus de citron vert
1 cuil. à soupe de sucre roux
3 cuil. à soupe de beurre de cacahuètes avec des éclats de cacahuètes

1 Mettre le poisson, la sauce de poisson, la pâte de curry, le jus de citron vert, l'ail, les feuilles de lime dans un robot de cuisine et mixer jusqu'à obtention d'une pâte homogène.

2 Ajouter la coriandre et mixer brièvement. Façonner 8 à 10 boulettes de préparation, aplatir pour former des galettes et réserver.

3 Pour la sauce, couper le piment en deux, épépiner et hacher finement. Mettre dans une casserole avec le reste des ingrédients et chauffer à feu doux, en remuant, jusqu'à obtention d'un mélange homogène. Rectifier l'assaisonnement.

4 Faire frire les galettes de poisson en plusieurs fois, 3 à 4 minutes de chaque côté, jusqu'à ce qu'elles soient bien dorées. Égoutter sur du papier absorbant et servir très chaud sur un lit de feuilles de salade verte, accompagné de la sauce aux cacahuètes pimentée.

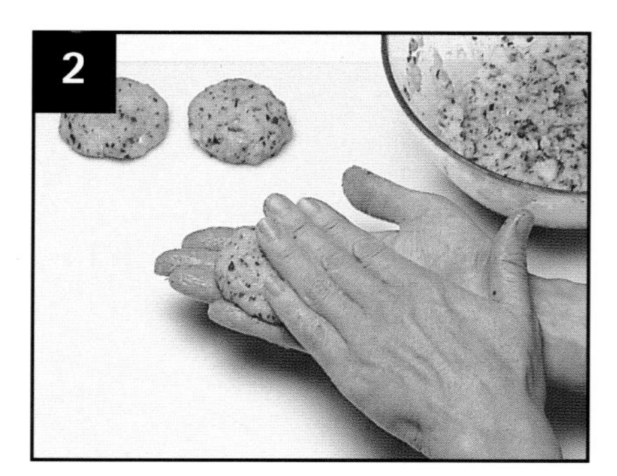

2

3

4

Gâteaux de crabe à la vapeur

Ces jolis petits gâteaux de crabe cuits à la vapeur et frits sont souvent servis en en-cas, mais ils feront également une entrée délicieuse. En Thaïlande, les feuilles de bananier sont habilement découpées pour servir de récipients, mais utilisez des ramequins pour plus de facilité.

4 personnes

INGRÉDIENTS

1 à 2 feuilles de bananier
2 gousses d'ail, hachées
1 cuil. à café de lemon-grass finement haché
1/2 cuil. à café de poivre noir moulu
3 cuil. à soupe de crème de coco
2 cuil. à soupe de coriandre fraîche hachée
1 cuil. à soupe de jus de citron vert
200 g de chair de crabe cuite, émiettée
1 cuil. à soupe de sauce de poisson thaïe
2 blancs d'œuf
1 jaune d'œuf
8 feuilles de coriandre fraîche
huile de tournesol, pour la friture
sauce au piment, en accompagnement

1 Chemiser des ramequins ou des moules métalliques d'une contenance de 100 ml avec les feuilles de bananier.

2 Mélanger l'ail, le lemon-grass, le poivre et la coriandre dans une terrine. Mélanger la crème de coco et le jus de citron vert jusqu'à obtention d'une pâte lisse et incorporer la pâte obtenue au contenu de la terrine avec le crabe et la sauce de poisson.

3 Battre les blancs d'œuf en neige ferme dans une autre terrine et incorporer à la préparation au crabe.

4 Verser la préparation obtenue dans les récipients chemisés en tassant légèrement enduire la surface de jaune d'œuf et garnir d'une feuille de coriandre.

5 Couvrir les ramequins et cuire 15 minutes au bain-marie, jusqu'à ce que les gâteaux soient fermes au toucher. Retirer l'excès de liquide et retirer les gâteaux des moules.

6 Chauffer l'huile à 180 °C et faire frire les gâteaux de crabe 1 minute, en les retournant une fois, jusqu'à ce qu'ils soient dorés. Servir très chaud accompagné de sauce au piment.

1

3

4

Tartines au crabe à la thaïlandaise

De délicieuses tartines agrémentées d'une multitude de saveurs : du crabe, de l'avocat et du gingembre. Parfait pour un déjeuner estival léger ou à tout moment de la journée !

2 personnes

INGRÉDIENTS

- 2 cuil. à soupe de jus de citron vert
- 1 morceau de 2 cm de gingembre frais, râpé
- 2 cm de lemon-grass, finement haché
- 5 cuil. à soupe de mayonnaise
- 2 grosses tranches de pain croustillant
- 1 avocat mûr
- 150 g de chair de crabe cuite
- brins de coriandre fraîche, en garniture
- poivre noir, fraîchement moulu

1 Mélanger la moitié du jus de citron vert, le gingembre et le lemon-grass dans une terrine, ajouter la mayonnaise et bien mélanger.

2 Étaler une cuillerée à soupe de mayonnaise sur chaque tranche de pain.

3 Couper l'avocat en deux, retirer le noyau, éplucher et couper en fines tranches. Disposer sur les tranches de pain et arroser de jus de citron vert.

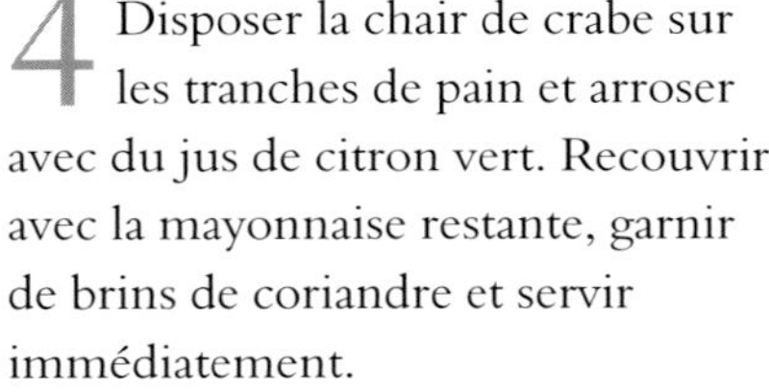

4 Disposer la chair de crabe sur les tranches de pain et arroser avec du jus de citron vert. Recouvrir avec la mayonnaise restante, garnir de brins de coriandre et servir immédiatement.

CONSEIL

Pour préparer une mayonnaise au citron vert et au gingembre, mettez 2 jaunes d'œufs, une cuillerée à soupe de jus de citron vert et 1/2 cuillerée à café de gingembre râpé dans un robot de cuisine. Moteur en marche, ajoutez 300 ml d'huile d'olive, goutte à goutte, jusqu'à obtention d'un mélange épais et homogène. Saler et poivrer.

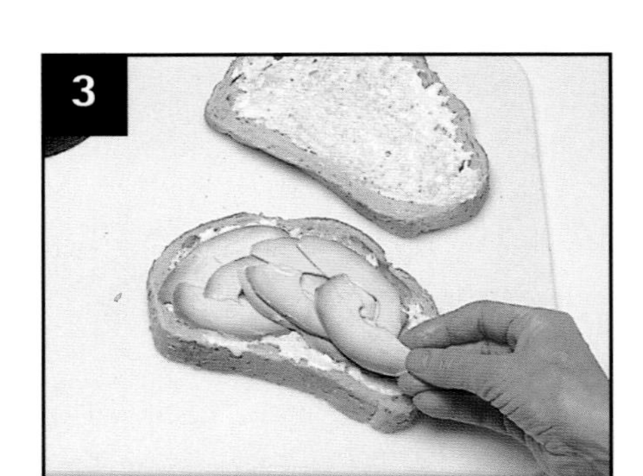

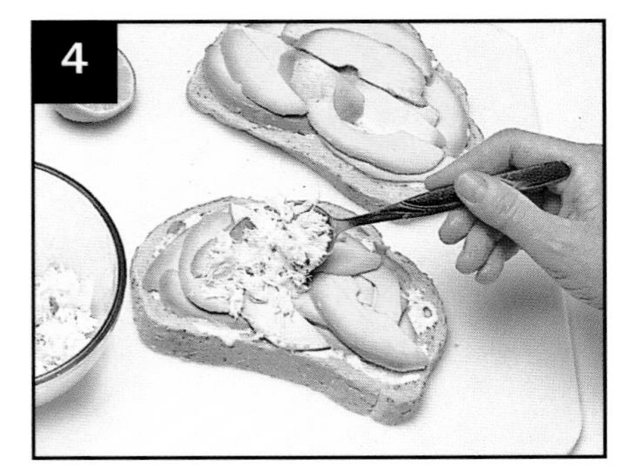

Beignets de moules épicés

De délicieux beignets de moules relevés, excellents en guise d'amuse-gueules pour se mettre en appétit. Il n'y en aura jamais assez !

4 personnes

INGRÉDIENTS

- 40 moules fraîches dans leur coquille
- 2 cuil. à soupe de farine
- 2 cuil. à soupe de farine de riz
- 1/2 cuil. à café de sel
- 1 blanc d'œuf
- 1 cuil. à soupe de copeaux de noix de coco séchée
- 1 cuil. à soupe de vinaigre de riz
- 2 cuil. à soupe d'eau
- 1 piment oiseau rouge, épépiné et haché
- 1 cuil. à soupe de coriandre fraîche hachée
- huile de tournesol, pour la friture
- tranches de citron vert, en garniture

1 Nettoyer les moules et jeter celles qui ont la coquille cassée ou ne se ferment pas au toucher. Rincer à l'eau courante et mettre dans une casserole sans égoutter. Couvrir et chauffer 2 à 3 minutes à feu vif, en secouant la casserole de temps en temps, jusqu'à ce que les moules soient ouvertes. Jeter celles qui sont restées fermées.

2 Pour la pâte à beignet, tamiser la farine, la farine de riz et le sel dans une terrine, ajouter la noix de coco, le blanc d'œuf, le vinaigre de riz et l'eau, et battre jusqu'à obtention d'une pâte homogène. Incorporer le piment et la coriandre.

3 Chauffer 5 cm d'huile à 180 °C dans une cocotte, plonger les moules dans la pâte à l'aide d'une fourchette et faire frire 1 à 2 minutes, jusqu'à ce que la pâte soit croustillante et dorée.

4 Égoutter les beignets sur du papier absorbant et servir très chaud avec un filet de jus de citron vert.

CONSEIL

Si vous réservez les coquilles, présentez les beignets de moules dans celles-ci pour le service.

1

2

3

Moules à la vapeur au lemon-grass et au basilic

Les cuisiniers thaïs raffolent du basilic et s'en servent souvent pour saupoudrer les salades et les soupes. Le basilic doux disponible en France et en Amérique est idéal pour cette recette.

4 personnes

INGRÉDIENTS

- 1 kg de moules fraîches dans leur coquille
- 2 échalotes, finement hachées
- 1 tige de lemon-grass, finement émincée
- 1 gousse d'ail, finement hachée
- 2 cuil. à soupe de jus de citron vert
- 3 cuil. à soupe de vinaigre de riz ou de xérès
- 1 cuil. à soupe de sauce de poisson thaïe
- 2 cuil. à soupe de beurre
- sel et poivre
- 4 cuil. à soupe de feuilles de basilic hachées
- feuilles de basilic frais, en garniture
- pain frais, en accompagnement

1 Gratter et ébarber les moules. Rincer à l'eau courante et égoutter. Jeter celles qui ont la coquille cassée ou ne se ferment pas au toucher.

2 Mettre l'échalote, le lemon-grass, l'ail, le vinaigre de riz, le jus de citron vert et la sauce de poisson dans une grande casserole et cuire à feu vif.

3 Ajouter les moules, couvrir et cuire 2 à 3 minutes, en remuant de temps en temps, jusqu'à ce que les moules soient ouvertes.

4 Jeter celles qui sont restées fermées et ajouter le basilic. Saler et poivrer selon son goût.

5 Retirer les moules de la casserole à l'aide d'une écumoire et mettre dans 4 bols de service. Incorporer le beurre au jus de cuisson en battant et verser sur les moules.

6 Garnir chaque bol de feuilles de basilic frais et servir avec du pain frais pour saucer.

CONSEIL

Vous pouvez servir cette recette en plat principal pour deux personnes. Elle sera également succulente si vous remplacez les moules par des clams frais.

3

4

5

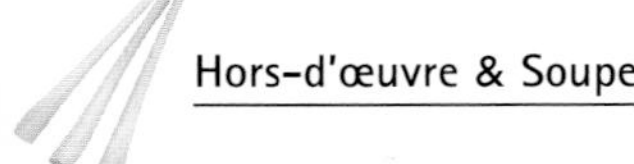

Travers de porc rôtis au miel et au soja

Demandez à votre boucher de couper les travers de porc en petits morceaux de 6 cm environ. Vous pourrez plus facilement les déguster avec les doigts.

4 personnes

INGRÉDIENTS

1 kg de travers de porc, coupé en morceaux
1/2 citron
la moitié d'une petite orange
2 gousses d'ail, pelées
1 petit oignon, émincé
1 morceau de 2,5 cm de gingembre frais, pelé
2 cuil. à soupe de sauce de soja
2 cuil. à soupe de vinaigre de riz
1/2 cuil. à café de poudre de sept-épices
2 cuil. à soupe de miel liquide
1 cuil. à soupe d'huile de sésame
tranches de citron et d'oranges, en garniture

1 Mettre les travers de porc dans un plat allant au four, couvrir de papier d'aluminium et cuire au four préchauffé à180 °C (th. 6), 30 minutes.

2 Épépiner le citron et l'orange et mettre dans un robot de cuisine avec le gingembre, l'ail, l'oignon, la sauce de soja, le vinaigre de riz, la poudre de sept-épices, le miel et l'huile de sésame, et mixer jusqu'à obtention d'un mélange homogène.

3 Retirer l'excédent de graisse du porc dans le plat et étaler le mélange épicé sur les morceaux de viande.

4 Retourner les travers de porc pour qu'ils soient bien enrobés. Remettre au four à 210 °C (th. 7) et cuire 40 minutes, en retournant la viande et en arrosant de temps en temps, jusqu'à ce qu'elle soit dorée. Garnir de tranches d'oranges et de citron et servir très chaud.

CONSEIL

Si vous ne possédez pas de robot de cuisine, vous pouvez peler les agrumes et en presser le jus, râper le gingembre, écraser l'ail et émincer l'oignon très finement. Mélangez ensuite avec les autres ingrédients.

Wontons à la vapeur

Ces savoureux petits wontons cuits à la vapeur sont servis en entrée accompagnés d'une sauce épicée. Préparez une grande quantité et conservez-en au frais pour pouvoir les faire réchauffer à votre guise.

4 personnes

INGRÉDIENTS

125 g de porc haché
1 cuil. à soupe de crevette séchée finement hachée
1 piment vert, finement haché
2 échalotes, finement émincées
1 cuil. à café de maïzena
1 petit œuf, battu
2 cuil. à café de sauce de soja épaisse
2 cuil. à café de vinaigre de riz
12 carrés de pâte à wonton
1 cuil. à café d'huile de sésame
sel et poivre

1 Dans une terrine, mélanger le porc, la crevette, le piment et les échalotes, délayer la maïzena dans la moitié d'œuf et incorporer la pâte obtenue à la préparation à base de porc, avec la sauce de soja et le vin de riz. Saler et poivrer.

2 Disposer les carrés de pâte à wonton sur un plan et mettre une cuillerée à soupe de farce au centre de chacun.

3 Enduire les carrés de pâte d'œuf restant et replier les bords vers le centre en laissant une petite ouverture au sommet pour que la farce reste légèrement visible.

4 Enduire le fond d'un panier à étuver d'huile de sésame et disposer les wontons.

5 Couvrir et cuire 15 à 20 minutes au bain-marie. Servir très chaud avec la sauce.

CONSEIL

Assurez-vous que l'eau du bain-marie reste bouillante, sinon les wontons ne cuiraient pas bien et seraient gorgés d'eau. Prenez garde également à ce que toute l'eau ne s'évapore pas. Ajoutez-en pendant la cuisson si nécessaire.

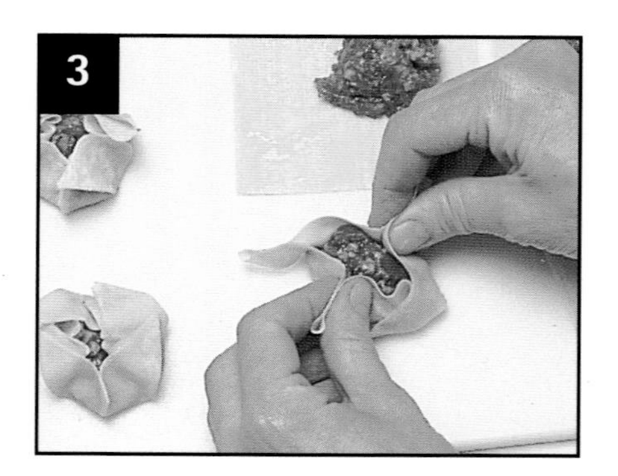

Bouchées au porc et à la cacahuète

Ces savoureux petits en-cas sont une adaptation d'une recette traditionnelle réalisée avec une pâte légère, mais la pâte filo est plus facile d'utilisation et tout aussi délicieuse.

4 personnes

INGRÉDIENTS

- 2 feuilles de pâte filo, d'environ 40 x 16 cm
- 2 cuil. à soupe d'huile
- 1 gousse d'ail, hachée
- 1 cuil. à café de pâte de curry rouge
- 3 cuil. à soupe de beurre de cacahuètes avec des éclats de cacahuètes
- 1 cuil. à soupe de sauce de soja claire
- 125 g de porc haché
- 2 oignons verts, finement émincés
- 1 cuil. à soupe de coriandre fraîche hachée
- brins de coriandre fraîche, en garniture
- sel et poivre

1 Couper chaque feuille de pâte filo en 24 carrés de 10 cm de côté pour obtenir 48 carrés et enduire légèrement d'huile. Disposer les carrés dans des moules à muffin, les coins pointant vers l'extérieur et bien appliquer les carrés de pâte sur les parois des moules.

2 Cuire les bouchées au four préchauffé, à 210 °C (th.7), 6 à 8 minutes, jusqu'à ce qu'elles soient dorées.

3 Chauffer une cuillerée à soupe d'huile dans un wok, ajouter l'ail et faire revenir 30 secondes. Ajouter le porc en remuant et faire revenir 4 à 5 minutes à feu vif, jusqu'à ce qu'il soit doré.

4 Ajouter la pâte de curry et les oignons verts, faire revenir encore 1 minute et ajouter le beurre de cacahuètes, la sauce de soja et la coriandre en remuant. Saler et poivrer.

5 Disposer quelques cuillerées de farce dans chaque bouchées, garnir de brins de coriandre et servir.

CONSEIL

La pâte filo durcit très vite et devient fragile et cassante. Travaillez-la rapidement et conservez les feuilles dont vous avez besoin sous un linge humide ou couvrez-les de film alimentaire.

1

4

5

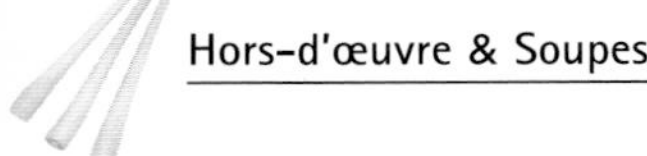

Ailes de poulet au gingembre

Idéale pour un dîner, cette entrée se déguste avec les doigts – mais ayez des rince-doigts à disposition. Si vous préférez, vous pouvez remplacer les ailes de poulet par des pilons.

4 personnes

INGRÉDIENTS

2 gousses d'ail, pelées
1 morceau de gingembre confit au sirop
1 cuil. à café de graines de coriandre
2 cuil. à soupe de sauce de soja épaisse
2 cuil. à soupe de sirop de gingembre confit
1 cuil. à café d'huile de sésame
1 cuil. à soupe de jus de citron vert
12 ailes de poulet
quartiers de citron et feuilles de coriandre fraîche, en garniture

1 Hacher grossièrement l'ail et le gingembre, et piler dans un mortier, en ajoutant petit à petit le sirop de gingembre, la sauce de soja, le jus de citron et l'huile de sésame, jusqu'à obtention d'une pâte homogène.

2 Replier la pointe des ailes de poulet sous la partie la plus charnue, pour former un triangle régulier, et disposer dans une terrine.

3 Verser la préparation à base de gingembre dans la terrine et retourner plusieurs fois pour que les ailes soient bien enrobées. Couvrir et laisser mariner plusieurs heures au réfrigérateur ou toute une nuit si possible.

4 Disposer les ailes de poulet, en une seule couche, dans un plat allant au four recouvert d'une feuille de papier d'aluminium et cuire au gril à température moyenne, 15 minutes, en retournant de temps en temps, jusqu'à ce qu'elles soient cuites et bien dorées.

5 À défaut de gril, cuire au barbecue huilé, 12 à 15 minutes. Garnir de quartiers de citron et de feuilles de coriandre et servir.

CONSEIL

Pour vérifier que le poulet est bien cuit, piquez la chair à l'endroit le plus charnu. Si le poulet est cuit, le jus qui s'en écoule est clair, sans trace rosée. Si le jus est encore un peu rosé, laissez cuire la viande encore quelques minutes.

1

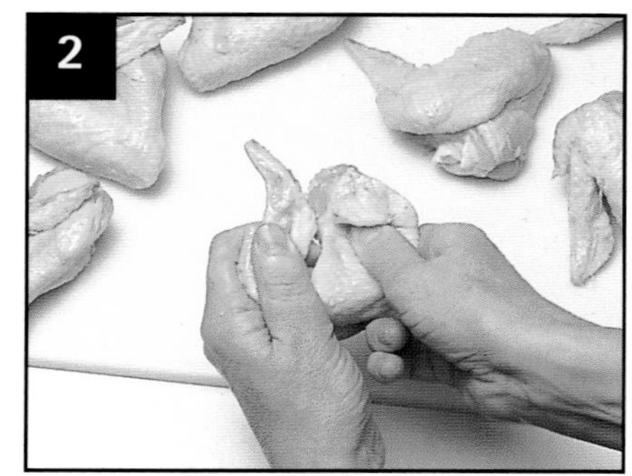

2

3

Ailes de poulet farcies

Cette recette est assez longue, mais très facile à réaliser. Une savoureuse farce typiquement thaïe accompagne ces ailes de poulet que vous pouvez servir chaudes ou froides et qui sont idéales pour un pique-nique.

4 personnes

INGRÉDIENTS

8 ailes de poulet
3 cuil. à soupe de crevette séchée
3 cuil. à soupe d'eau chaude
200 g de porc haché
1 gousse d'ail, pelée et hachée
1 cuil. à soupe de sauce de poisson thaïe
1/2 cuil. à café de sel
1/2 cuil. à café de poivre noir moulu
2 oignons verts, finement émincés
1/4 cuil. à café de curcuma
1 petit œuf, battu
2 cuil. à soupe de farine de riz
huile de tournesol, pour la friture
sauce au piment douce et tranches de concombre, en accompagnement
piments rouges frais, en garniture

1 À l'aide d'un couteau tranchant, détacher la chair de l'os de la partie charnue de chaque aile de poulet en la tirant vers le bas pour dénuder l'os tout en tirant la peau. Briser l'os à l'articulation, retirer l'os cassé et retourner la chair.

2 Continuer à détacher la chair le long de l'os jusqu'à l'articulation suivante. À ce point, briser de nouveau l'os, en ne conservant que l'extrémité osseuse de l'aile.

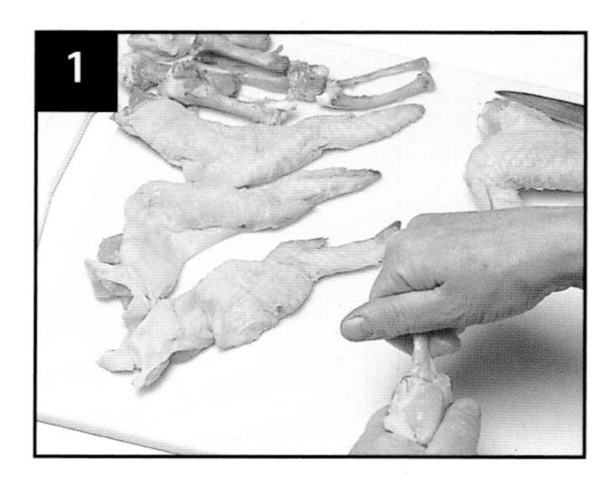

3 Faire tremper la crevette séchée 10 à 15 minutes dans l'eau chaude. Bien égoutter et hacher finement. Mettre le porc, la crevette, l'ail, la sauce de poisson, le sel et le poivre dans un robot de cuisine et mixer jusqu'à obtention d'une pâte homogène. Ajouter les oignons verts et bien mélanger.

4 Farcir les ailes de poulet avec la préparation obtenue en tassant bien avec les doigts.

5 Mélanger l'œuf battu avec le curcuma. Tremper les ailes de poulet dans la farine de riz en retirant l'excédent.

6 Dans une cocotte, chauffer 5 cm d'huile à 200 °C, un dé de pain doit y dorer en 30 secondes. Passer les ailes de poulet farinées dans l'œuf au curcuma, disposer dans la cocotte et faire frire en plusieurs fois, 8 à 10 minutes, en retournant une fois.

7 À l'aide d'une écumoire, retirer les ailes de poulet de la cocotte et égoutter sur du papier absorbant. Servir chaud ou froid, accompagné de tranches de concombre et de sauce au piment douce.

Brochettes de lemon-grass au poulet

Une recette originale dans laquelle les tiges de lemon-grass sont utilisées en guise de brochettes. Cette particularité apporte au poulet une délicate saveur citronnée.

4 personnes

INGRÉDIENTS

- 2 tiges de lemon-grass longues ou 4 courtes
- 2 gros blancs de poulet, d'environ 400 g au total
- 1 petit blanc d'œuf, battu
- 1 carotte, finement râpée
- 1 petit piment rouge, épépiné et haché
- 2 cuil. à soupe de ciboulette fraîche hachée
- 2 cuil. à soupe de coriandre fraîche hachée
- 1 cuil. à soupe d'huile de tournesol
- sel et poivre
- brins de coriandre fraîche et tranches de citron vert, en garniture

1 Si les tiges de lemon-grass sont longues, couper en deux pour obtenir 4 tiges courtes. Couper chaque tige en deux dans l'épaisseur pour obtenir 8 baguettes.

2 Mettre les morceaux de poulet et le blanc d'œuf dans un robot de cuisine et mixer jusqu'à obtention d'une pâte homogène. Ajouter la carotte, le piment, la ciboulette, la coriandre, le sel et le poivre. Mixer quelques secondes jusqu'à obtention d'un mélange homogène.

3 Réserver la préparation obtenue 15 minutes au réfrigérateur. Diviser en 8 portions et, en pressant avec les mains, entourer les 8 tiges de lemon-grass de la préparation au poulet.

4 Enduire les brochettes d'un peu d'huile et faire griller au barbecue ou au gril préchauffé à température moyenne, 4 à 6 minutes, en retournant de temps en temps, jusqu'à ce qu'elles soient bien dorées et complètement cuites.

5 Garnir de brins de coriandre fraîche et de tranches de citron vert, et servir chaud.

CONSEIL

Si vous ne trouvez pas de tiges de lemon-grass entières, utilisez des brochettes en bois ou en bambou et ajoutez 1/2 cuillerée à café de poudre de lemon-grass aux autres ingrédients.

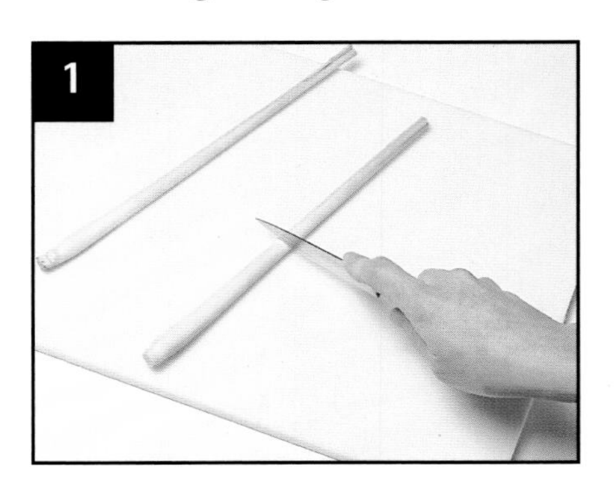

1

3

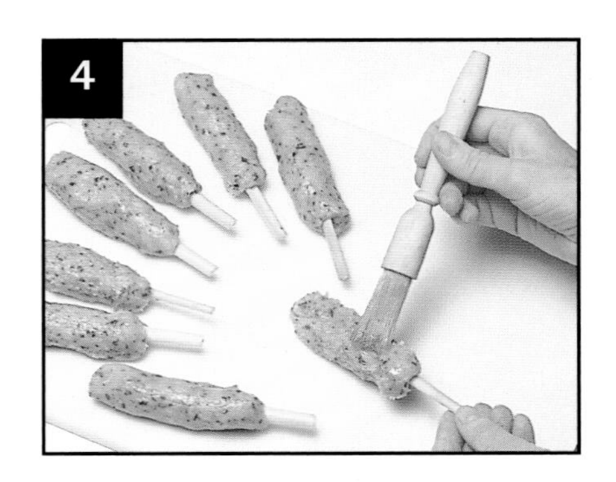

4

Poulet en feuilles de bananier

Les feuilles de bananier sont souvent utilisées dans la cuisine thaïe en guise de récipient naturel. Ces succulentes bouchées accompagnées d'une sauce relevée sont idéales en apéritif.

4 à 6 personnes

INGRÉDIENTS

1 gousse d'ail, hachée
1 cuil. à café de racine de gingembre haché
$^1/_4$ cuil. à café de poivre noir moulu
2 brins de coriandre fraîche
1 cuil. à soupe de sauce de poisson thaïe
1 cuil. à soupe de whisky
3 blancs de poulet, coupés en cubes de 2,5 cm
huile de tournesol, pour la friture
2 à 3 feuilles de bananier, coupées en rubans de 3 cm de large
sauce au piment douce, en accompagnement

1 Mettre l'ail, le gingembre, le poivre, la coriandre, le whisky et la sauce de poisson dans un mortier, et piler jusqu'à obtention d'une pâte homogène.

2 Mettre les cubes de poulet dans une terrine, ajouter la préparation au whisky et mélanger pour que le poulet soit bien enrobé. Couvrir et laisser mariner 1 heure au réfrigérateur.

3 Mettre un cube de poulet sur un ruban de feuille de bananier et replier la feuille pour former un petit paquet fermé autour du poulet. Maintenir fermé à l'aide de piques à cocktail en bois ou avec de la ficelle de bambou.

4 Chauffer 0,5 cm d'huile dans une sauteuse, jusqu'à ce qu'elle soit bien chaude.

5 Faire frire les petits paquets 8 à 10 minutes, en retournant de temps en temps, jusqu'à ce qu'ils soient dorés et que le poulet soit bien cuit. Servir accompagné de sauce au piment douce.

CONSEIL

Pour préparer une sauce au piment douce dans laquelle vous tremperez du poulet, mélangez autant de sauce au piment et de ketchup, et ajoutez-y un filet de vinaigre de riz. Remuez et servez.

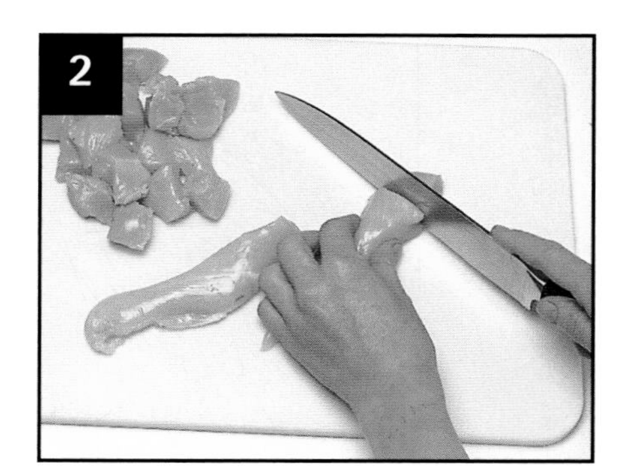

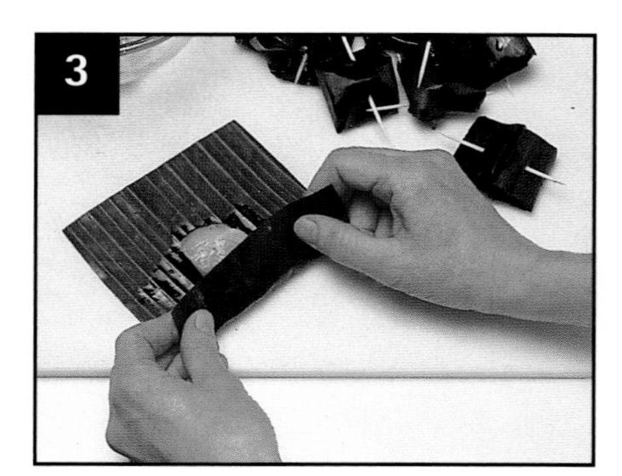

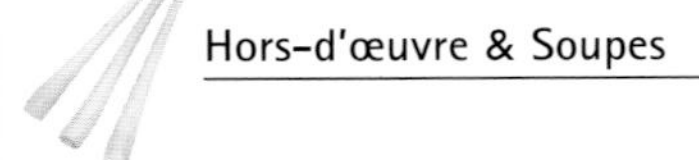

Boulettes de poulet à la sauce de soja

Chaudes, ces boulettes de poulet feront une parfaite entrée ou un délicieux en-cas. Froides, elles agrémenteront un panier-repas ou un pique-nique.

4 à 6 personnes

INGRÉDIENTS

2 gros blancs de poulet, coupés en cubes de 2 cm
3 cuil. à soupe d'huile
2 échalotes, finement émincées
1/2 branche de céleri, émincée
2 cuil. à soupe de sauce de soja claire
1 gousse d'ail, hachée
1 petit œuf
1 botte d'oignons verts
sel et poivre
pompons d'oignons verts, en garniture

SAUCE
3 cuil. à soupe de sauce de soja épaisse
1 cuil. à soupe de vinaigre de riz
1 cuil. à café de graines de sésame

1 Chauffer la moitié de l'huile dans un wok ou une sauteuse et faire revenir le poulet 2 à 3 minutes à feu vif, jusqu'à ce qu'il soit doré. Retirer le poulet du wok ou de la sauteuse et réserver.

2 Mettre l'échalote, le céleri et l'ail dans le wok ou la sauteuse et faire revenir 1 à 2 minutes, jusqu'à ce qu'ils soient tendres mais non dorés.

3 Hacher finement le poulet, l'échalote, le céleri et l'ail dans un robot de cuisine. Ajouter une cuillerée à soupe de sauce de soja claire, le sel et le poivre, et assez d'œuf pour raffermir la préparation.

4 Éplucher les oignons verts, couper en tronçons de 5 cm et effiler en pompons. Pour la sauce, mélanger la sauce de soja épaisse, le vinaigre de riz, et les graines de sésame et réserver.

5 Façonner 16 à 18 boulettes de préparation de la taille d'une noisette. Chauffer l'huile restante dans le wok et faire revenir les boulettes de poulet, en plusieurs fois, 4 à 5 minutes, jusqu'à ce qu'elles soient dorées. Égoutter sur du papier absorbant et réserver au chaud.

6 Faire revenir les oignons verts dans le wok, 1 à 2 minutes, et ajouter la sauce de soja claire en remuant. Servir avec les boulettes de poulet et la sauce. Dresser le tout sur un plat et garnir de pompons d'oignons verts.

1

3

5

Œufs farcis au porc et au crabe

Idéales pour un buffet, ces savoureuses saucisses délicatement relevées peuvent être préparées la veille et servies froides ou chaudes selon les goûts.

4 personnes

INGRÉDIENTS

4 gros œufs
100 g de porc haché
170 g de chair de crabe, égouttée
1 gousse d'ail, hachée
1 cuil. à café de sauce de poisson thaïe
100 g de farine
1/2 cuil. à café de poudre de lemon-grass
1 cuil. à soupe de coriandre fraîche hachée
1 cuil. à soupe de copeaux de noix de coco séchée
environ 150 ml de lait de coco
sel et poivre
huile de tournesol, pour la friture
salade verte, en accompagnement
fleurs de concombre, en garniture

1 Mettre les œufs dans une casserole d'eau frémissante, porter à ébullition et cuire 10 minutes. Égoutter, refroidir à l'eau courante et écaler les œufs.

2 Couper les œufs en deux dans la longueur et retirer les jaunes. Mettre les jaunes dans une terrine avec le porc, la chair de crabe, l'ail, la sauce de poisson, le lemon-grass, la coriandre et les copeaux de noix de coco. Saler, poivrer et bien mélanger.

3 Diviser la préparation en 8 portions. Remplir les moitiés de blanc d'œuf avec la farce, jusqu'à former un œuf entier.

4 À l'aide d'un fouet, mélanger la farine et le lait de coco jusqu'à obtention d'une pâte épaisse. Saler et poivrer. Dans une cocotte, chauffer 5 cm d'huile à 200 °C, un dé de pain doit y dorer en 30 secondes. Passer les œufs dans la pâte à la noix de coco et disposer dans la cocotte.

5 Faire frire les œufs en 2 fois, 5 minutes, en retournant de temps en temps, jusqu'à ce qu'ils soient dorés. Retirer de la cocotte à l'aide d'une écumoire et égoutter sur du papier absorbant. Garnir de fleurs de concombre et servir tiède ou froid, accompagné de salade verte.

2

3

4

Omelette fourrée à la thaïlandaise

Parfaite en entrée ou pour un repas léger, cette délicieuse omelette est très nourrissante. À accompagner d'une salade croquante et colorée.

4 personnes

INGRÉDIENTS

2 gousses d'ail, émincées
4 grains de poivre noir
4 brins de coriandre fraîche
2 cuil. à soupe d'huile

200 g de porc haché
2 oignons verts, émincés
1 grosse tomate ferme, coupée en morceaux

6 gros œufs
1 cuil. à soupe de sauce de poisson thaïe
1/4 de cuil. à café de curcuma
mesclun, en accompagnement

1 Piler l'ail, les grains de poivre et la coriandre dans un mortier, jusqu'à obtention d'une pâte homogène.

2 Chauffer une cuillerée à soupe d'huile dans un wok ou une sauteuse à feu moyen. Ajouter la pâte à base d'ail et faire frire 1 à 2 minutes, jusqu'à ce qu'elle prenne couleur.

3 Ajouter le porc et faire revenir, en remuant, jusqu'à ce qu'il dore. Ajouter les oignons verts et la tomate, faire revenir encore 1 minute et retirer du feu.

4 Chauffer l'huile restante dans une poêle à fond épais. Battre les œufs avec la sauce de poisson et le curcuma. Verser un quart du mélange obtenu dans la poêle. Lorsqu'il commence à prendre, remuer délicatement pour vérifier que toute l'omelette est bien prise.

5 Verser un quart de la préparation au porc au centre de l'omelette, et replier les bords vers le centre, pour recouvrir la farce. Répéter l'opération trois fois pour obtenir quatre omelettes.

6 Disposer les omelettes dans des assiettes et servir accompagné de mesclun.

CONSEIL

Si vous préférez, vous pouvez mettre la farce sur une omelette et la recouvrir d'une seconde, sans les rouler. Découpez ensuite le tout en petites parts avant de servir.

3

4

5

Nems végétariens

Ces savoureux petits nems végétariens sont une excellente idée pour se mettre en appétit. À servir en entrée accompagné d'une sauce aux piments.

4 personnes

INGRÉDIENTS

25 g de vermicelle transparent
2 cuil. à soupe d'huile d'arachide
2 gousses d'ail, hachées
1/2 de cuil. à café de gingembre râpé
55 g de champignons, coupés en fines rondelles
2 oignons verts, finement émincés
50 g de germes de soja
1 petite carotte, finement râpée
1/2 cuil. à café d'huile de sésame
1 cuil. à soupe de sauce de soja claire
1 cuil. à soupe de vinaigre de riz ou de xérès sec
24 galettes de riz carrées
1/4 de cuil. à café de poivre noir moulu
1 cuil. à soupe de coriandre fraîche hachée
1 cuil. à soupe de menthe fraîche, hachée
1/2 cuil. à café de maïzena
huile d'arachide, pour la friture

1 Mettre le vermicelle dans une terrine résistant à la chaleur, couvrir d'eau bouillante et laisser tremper 4 minutes. Égoutter, rincer à l'eau courante et égoutter de nouveau. Couper en morceaux de 5 cm.

2 Chauffer l'huile d'arachide dans un wok ou une sauteuse à feu vif. Ajouter l'ail, le gingembre, les germes de soja, les champignons et la carotte, et faire revenir 1 minute, jusqu'à ce que le mélange soit fondant.

3 Ajouter l'huile de sésame, la sauce de soja, le vinaigre de riz, le poivre, la coriandre et la menthe, retirer du feu t incorporer le vermicelle en remuant.

4 Disposer les galettes de riz sur un plan, un angle dirigé vers soi. Délayer la maïzena dans une cuillerée à soupe d'eau et enduire les bords de la galette avec la pâte obtenue. Déposer un peu de farce dans l'angle de la galette disposé vers soi.

5 Replier l'angle de la galette sur la farce, replier les autres angles vers l'intérieur et rouler complètement le rouleau, en humectant le dernier angle d'un peu de pâte de maïzena pour bien le maintenir fermé.

6 Chauffer l'huile à 200 °C dans un wok ou une sauteuse et faire revenir les rouleaux, en plusieurs fois, 2 à 3 minutes, jusqu'à ce qu'ils soient dorés et croustillants. Garnir de feuilles de menthe et servir chaud.

1

4

5

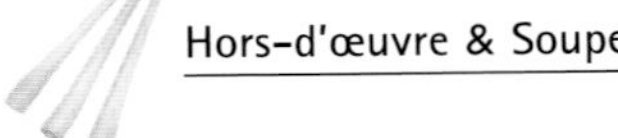

Salade aigre-douce aux fruits de mer

Une recette originale de fruits de mer accompagnés d'une sauce au citron vert que vous pouvez servir en entrée ou lors d'un buffet. Doublez les quantités si vos invités sont nombreux.

6 personnes en entrée ou en apéritif

INGRÉDIENTS

18 moules fraîches dans leur coquille
6 grosses noix de Saint-Jacques
200 g de jeunes encornets, nettoyés
2 échalotes, finement émincées
6 crevettes tigrées crues, décortiquées et déveinées
1/4 de concombre
1 carotte, pelée
1/4 de chou chinois, en lanières

ASSAISONNEMENT
4 cuil. à soupe de jus de citron vert
2 gousses d'ail, finement émincées
2 cuil. à soupe de sauce de poisson thaïe
1 cuil. à café d'huile de sésame
1 cuil. à soupe de sucre roux
2 cuil. à soupe de menthe fraîche, hachée
1/4 de cuil. à café de poivre noir moulu
sel

1 Nettoyer les moules et jeter celles qui ont la coquille cassée ou ne se ferment pas au toucher. Cuire 1 à 2 minutes dans une casserole avec un peu d'eau, jusqu'à ce qu'elles s'ouvrent. Retirer de la casserole en réservant le jus de cuisson. Jeter celles qui sont restées fermées.

2 Détacher les coraux des noix de Saint-Jacques et couper les blancs en deux dans l'épaisseur. Couper les tentacules des encornets et couper les blancs en anneaux.

3 Mettre l'échalote dans le jus de cuisson réservé et cuire à feu vif, jusqu'à ce que le jus réduise et qu'il reste l'équivalent de 3 cuillerées à soupe. Ajouter les Saint-Jacques, les encornets et les crevettes, et cuire 2 à 3 minutes en remuant. Retirer du feu et transférer la préparation dans une terrine.

4 Couper le concombre et la carotte en deux dans la longueur et en fines tranches en biais, et mélanger avec le chou chinois.

5 Pour l'assaisonnement, mettre tous les ingrédients dans un bocal hermétique et secouer, jusqu'à obtention d'un mélange homogène. Saler.

6 Réunir les légumes et les fruits de mer, napper de sauce et servir.

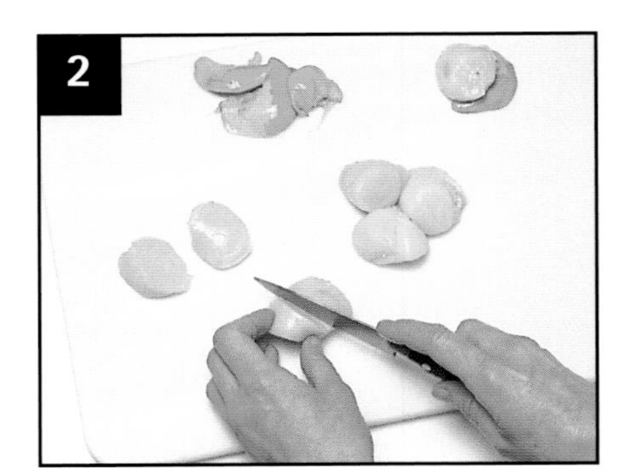
2

3

4

Salade de thon et de tomates à la sauce au gingembre

Véritable régal pour les yeux, cette salade est idéale en entrée rafraîchissante, pour un déjeuner ou un repas estival. Vous pouvez préparer la sauce à l'avance.

4 personnes

INGRÉDIENTS

50 g de chou chinois, en lanières
3 cuil. à soupe de vinaigre de riz
2 cuil. à soupe de sauce de poisson thaïe
1 cuil. à soupe de gingembre finement râpé
1 gousse d'ail, finement émincée
1/2 petit piment oiseau rouge, finement haché
2 cuil. à café de sucre roux
2 cuil. à soupe de jus de citron vert
400 g de steak de thon frais
huile de tournesol, pour graisser
125 g de tomates cerises
menthe fraîche, grossièrement hachée, en garniture

1 Disposer un peu de chou chinois sur des assiettes. Verser le vin de riz, la sauce de poisson, le piment, le gingembre, l'ail, le sucre roux et une cuillerée à soupe de jus de citron vert dans un bocal hermétique et secouer pour mélanger.

2 Couper le thon en tranches régulières et arroser de jus de citron vert restant.

3 Graisser un gril en fonte ou une poêle à fond rainuré avec l'huile de tournesol et chauffer jusqu'à ce qu'elle soit brûlante. Ajouter les tranches de thon et cuire, jusqu'à ce qu'elles soient fermes et légèrement dorées.

4 Ajouter les tomates et cuire à feu vif jusqu'à ce qu'elles soient dorées. Disposer le thon et les tomates sur le chou chinois et napper de sauce. Garnir de feuilles de menthe fraîche et servir chaud.

CONSEIL

Pour gagner du temps, utilisez du thon en boîte. Égouttez et émiettez le thon, sautez les étapes 2 et 3 et continuez comme indiqué dans la recette.

2

3

4

Soupe aux wontons de crevettes pimentée

Cette délicieuse soupe savoureusement épicée sera idéale pour réchauffer vos journées d'hiver. Pour une saveur plus douce, retirez les graines des piments avant de les utiliser.

4 personnes

INGRÉDIENTS

WONTONS
175 g de crevettes cuites décortiquées
1 gousse d'ail, hachée
1 oignon vert, finement émincé
1 cuil. à soupe de sauce de soja épaisse
1 cuil. à soupe de sauce de poisson thaïe
1 cuil. à soupe de coriandre fraîche hachée
1 petit œuf, jaune et blanc à part
12 carrés de pâte à wonton

SOUPE
2 petits piments oiseau rouges
2 oignons verts
1 litre de bouillon de bœuf clair
1 cuil. à soupe de sauce de poisson thaïe
1 cuil. à soupe de sauce de soja épaisse
1 cuil. à soupe de vinaigre de riz
1 poignée de feuilles de coriandre, en garniture

1 Hacher finement les crevettes, mettre dans une terrine et ajouter l'ail, l'oignon, la sauce de soja, la sauce de poisson, la coriandre et le jaune d'œuf, en remuant.

2 Disposer les carrés de pâte sur un plan et déposer une cuillerée à soupe de farce au centre de chacun. Enduire les bords de blanc d'œuf, plier les carrés en deux en superposant deux angles pour former un triangle et bien les fermer. Replier les deux autres angles vers le centre en scellant avec un peu de blanc d'œuf.

3 Pour la soupe, couper les piments oiseau en fines rondelles et en biais, en les épépinant éventuellement, selon son goût. Couper les oignons verts en rondelles et en biais.

4 Dans une casserole, verser le bouillon, la sauce de poisson, le vinaigre de riz et la sauce de soja, et porter à ébullition. Ajouter le piment et l'oignon vert. Mettre les wontons dans la casserole et laisser mijoter 4 à 5 minutes, jusqu'à ce que la soupe soit bien chaude.

5 Garnir la soupe de coriandre fraîche et servir dans des bols.

1

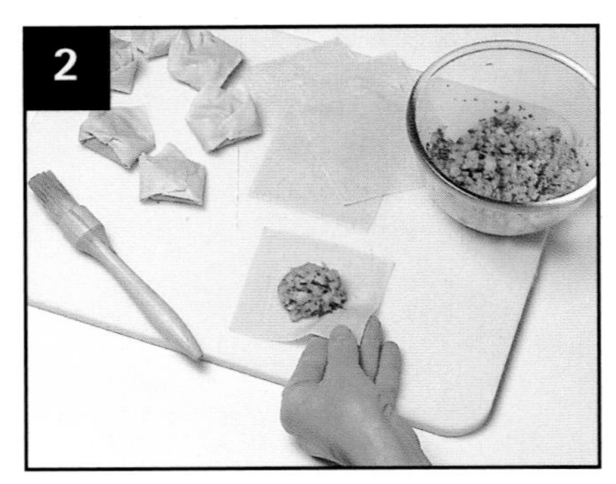
2

3

Soupe aigre-piquante

Les préparations aigres-piquantes sont populaires partout en Asie du Sud-Est et particulièrement en Thaïlande. Cette soupe typique peut être agrémentée de crevettes, de poulet ou encore de tofu.

4 personnes

INGRÉDIENTS

350 g de crevettes entières crues ou cuites avec leur carapace
1 cuil. à soupe d'huile
1 tige de lemon-grass, grossièrement hachée
2 feuilles de lime kafir, ciselées
1,2 l de bouillon de poulet ou de fumet de poisson
1 piment vert, épépiné et finement émincé
1 citron vert
1 cuil. à soupe de sauce de poisson thaïe
sel et poivre
1 piment oiseau rouge, épépiné et coupé en rondelles
1 oignon vert, coupé en fines tranches
1 cuil. à soupe de coriandre fraîche hachée, en garniture

1 Décortiquer et déveiner les crevettes en réservant les carapaces. Mettre dans une terrine, couvrir et réfrigérer.

2 Chauffer l'huile dans une poêle et faire revenir les carapaces de crevettes, 3 à 4 minutes, jusqu'à ce qu'elles rosissent. Ajouter le lemon-grass, les feuilles de lime, le bouillon de poulet et le piment. Découper une lanière de zeste de citron vert et ajouter au contenu de le casserole.

3 Porter à ébullition, réduire le feu et laisser mijoter 20 minutes.

4 Filtrer le jus de cuisson et remettre dans la casserole. Presser le citron vert et ajouter le jus au contenu la casserole avec la sauce de poisson. Saler et poivrer.

5 Porter de nouveau à ébullition, réduire le feu et ajouter les crevettes. Laisser mijoter 2 à 3 minutes.

CONSEIL

Pour déveiner les crevettes, faites une longue incision le long du dos de chaque crevette et retirer la fine veine noire qui s'y trouve. Essuyez-les ensuite avec du papier absorbant.

6 Ajouter les rondelles de piment et les tranches d'oignon vert. Parsemer de coriandre et servir.

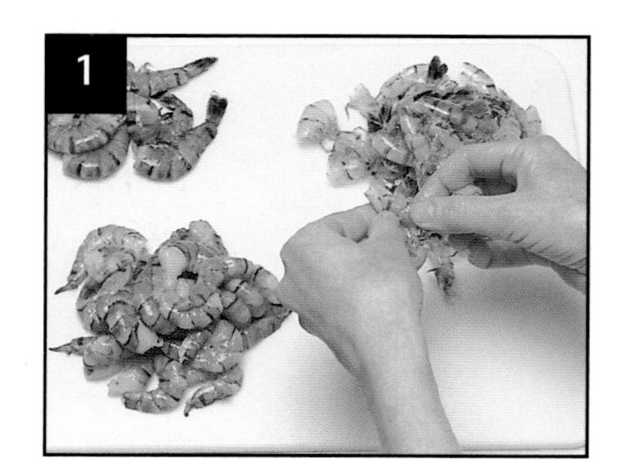

Velouté de maïs à l'œuf

Cette soupe délicieuse et originale est réalisable en quelques minutes. Vous pouvez également utiliser des bâtonnets de crabe ou des crevettes cuites à la place de la chair de crabe égouttée.

4 personnes

INGRÉDIENTS

1 cuil. à soupe d'huile
3 gousses d'ail, hachées
1 cuil. à café de gingembre râpé
700 ml de bouillon de poulet
1 boîte de 375 g de crème de maïs
sel et poivre
1 cuil. à soupe de sauce de poisson thaïe
170 g de chair de crabe blanche, égouttée
1 œuf
coriandre fraîche hachée et paprika, en garniture

1 Chauffer l'huile dans une casserole et faire revenir l'ail 1 minute, en remuant.

2 Ajouter le gingembre, incorporer le bouillon et la crème de maïs et porter à ébullition.

3 Incorporer la sauce de poisson, la chair de crabe, le sel et le poivre, et porter de nouveau à ébullition.

4 Battre l'œuf et incorporer à la soupe jusqu'à ce qu'il forme de longs filaments à la cuisson. Cuire encore 30 minutes, jusqu'à ce qu'il soit juste cuit.

5 Verser la soupe dans des bols, garnir de coriandre et de paprika, et servir très chaud.

CONSEIL

Pour relever le goût de cette soupe, pour une occasion particulière, ajoutez-y une cuillerée à soupe de xérès sec ou de vinaigre de riz juste avant de la verser dans les bols.

2

3

4

Soupe à la noix de coco et au potiron

Une soupe savoureuse et nourrissante, à accompagner de pain croustillant et que vous pouvez servir en entrée ou en guise de repas léger.

6 personnes

INGRÉDIENTS

1 potiron d'environ 1 kg
1 cuil. à soupe d'huile d'arachide
1 cuil. à café de graines de moutarde jaune
1 gousse d'ail, hachée
1 gros oignon, émincé
1 branche de céleri, émincée
1 petit piment rouge, coupé en morceaux
850 ml de bouillon de poulet
1 cuil. à soupe de crevette séchée
5 cuil. à soupe de crème de coco
sel et poivre
un peu de crème de coco, en garniture

1 Couper le potiron en deux, épépiner, éplucher et couper la chair en dés.

2 Chauffer l'huile dans une cocotte et faire revenir les graines de moutarde, jusqu'à ce qu'elles commencent à éclater. Ajouter l'ail, l'oignon, le céleri et le piment en remuant, et faire revenir 1 à 2 minutes.

3 Ajouter le potiron, le bouillon et la crevette séchée, et porter à ébullition. Réduire le feu, couvrir et laisser mijoter à feu doux, 30 minutes, jusqu'à ce que tous les ingrédients soient tendres.

4 Verser le mélange dans un robot de cuisine et mixer jusqu'à ce qu'il soit homogène. Remettre la soupe dans la cocotte et incorporer la crème de coco.

5 Saler, poivrer, garnir d'une pointe de crème de coco et servir très chaud.

CONSEIL

Pour une touche plus décorative, dessinez une volute dans la soupe en incorporant une cuillerée de lait de coco épais dans chaque bol.

1

2

3

Consommé aux champignons et au tofu

Les champignons noirs séchés sont vendus dans les épiceries orientales et sont un peu chers mais ils donnent une saveur inimitable à cette délicieuse recette.

4 personnes

INGRÉDIENTS

1 litre de bouillon riche brun
4 champignons noirs séchés
80 g de pleurotes en huître, coupés en tranches
1 cuil. à soupe d'huile de tournesol
1 cuil. à café d'huile de sésame
1 piment vert, épépiné et finement haché
6 oignons verts
2 feuilles de lime kafir, finement ciselées
2 cuil..à soupe de jus de citron vert
1 cuil. à soupe de vinaigre de riz
1 cuil. à soupe de sauce de poisson thaïe
1 gousse d'ail, hachée
80 g de tofu ferme, coupé en dés
sel et poivre

1 Mettre les champignons dans une terrine résistant à la chaleur, verser 150 ml d'eau bouillante et laisser tremper 30 minutes. Égoutter en réservant le jus et hacher grossièrement les champignons.

2 Chauffer l'huile de tournesol et de sésame dans un wok ou une sauteuse à feu vif. Mettre l'ail, le piment et les oignons verts et faire fondre le tout 1 minute sans laisser dorer.

3 Ajouter les champignons noirs, les pleurotes, les feuilles de lime, le bouillon et le jus des champignons et porter à ébullition.

4 Incorporer le jus de citron vert, le vinaigre de riz et la sauce de poisson, réduire le feu et laisser mijoter 3 à 4 minutes à feu doux.

5 Ajouter le tofu et saler et poivrer. Chauffer doucement jusqu'à ébullition et servir immédiatement.

CONSEIL

Utilisez un riche bouillon de bœuf maison ou un dashi japonais pour confectionner un bouillon clair. Les cubes de bouillon donnent souvent des bouillons épais. Pour préparer un bouillon végétarien, utilisez un bouillon de légumes bien parfumé et remplacez la sauce de poisson par de la sauce de soja claire.

2

3

5

Soupe de riz aux œufs

Cette succulente soupe typiquement thaïe est parfois servie au petit-déjeuner. Elle est un excellent moyen d'accommoder d'éventuels restes de riz.

4 personnes

INGRÉDIENTS

- 1 cuil. à café d'huile de tournesol
- 1 gousse d'ail, hachée
- 50 g de porc haché
- 3 oignons verts, coupés en rondelles
- 1 litre de bouillon de poulet
- 1 cuil. à soupe de gingembre râpé
- 1 petit piment rouge, épépiné et finement émincé
- 200 g de riz long
- 1 cuil. à soupe de sauce de poisson thaïe
- 4 petits œufs
- sel et poivre
- 2 cuil. à soupe de coriandre fraîche hachée, en garniture

1 Chauffer l'huile dans une cocotte, ajouter l'ail et le porc, et cuire 1 minute à feu doux, sans laisser dorer, jusqu'à ce que la viande soit émiettée.

2 Incorporer les oignons verts, le gingembre, le piment et le bouillon, et porter à ébullition. Ajouter le riz, réduire le feu et laisser mijoter 2 minutes.

3 Ajouter la sauce de poisson et saler et poivrer selon son goût. Casser les œufs dans la soupe et faire pocher 3 à 4 minutes à feu très doux, jusqu'à ce que les œufs prennent.

4 Répartir la soupe dans de grands bols, en servant un œuf par personne. Garnir de coriandre hachée et servir.

CONSEIL

Si vous préférez, vous pouvez battre les œufs et les faire cuire comme pour une omelette. Coupez-les ensuite en rubans et ajoutez-les à la soupe juste avant de servir.

1

2

3

Soupe aux épinards et au gingembre

Cette délicieuse soupe délicatement relevée parfumée de gingembre et de lemon-grass constituera une excellente entrée pour vos repas d'été.

4 personnes

INGRÉDIENTS

2 cuil. à soupe d'huile de tournesol
1 oignon, émincé
2 gousses d'ail, finement émincées
1 morceau de gingembre frais de 2,5 cm, coupé en morceaux
250 g de pousses d'épinards
1 petite tige de lemon-grass, coupée en petits morceaux
1 litre de bouillon de poulet ou de légumes
1 petite pomme de terre, pelée et coupée en petits morceaux
sel et poivre
1 cuil. à soupe de vinaigre de riz ou de xérès sec
1 cuil. à café d'huile de sésame
épinards frais, finement hachés, en garniture

1 Chauffer l'huile dans une cocotte, ajouter l'oignon, le gingembre et l'ail, et faire revenir 3 à 4 minutes, jusqu'à ce que le mélange soit fondant mais sans laisser dorer.

2 Réserver 2 à 3 feuilles d'épinards. Ajouter les autres dans la cocotte avec le lemon-grass en remuant jusqu'à ce que les épinards soient flétris. Ajouter le bouillon et la pomme de terre, et porter à ébullition. Réduire le feu, couvrir et laisser mijoter 10 minutes.

3 Verser le mélange dans un robot de cuisine et mixer jusqu'à ce que la soupe soit lisse et homogène.

4 Remettre la soupe dans la cocotte, ajouter le vinaigre de riz et saler et poivrer. Chauffer jusqu'à ce que la soupe frémisse.

5 Ciseler finement les feuilles d'épinards réservées et en parsemer la soupe. Arroser de quelques gouttes d'huile de sésame et servir très chaud.

VARIANTE

Pour confectionner une soupe plus onctueuse aux épinards et à la noix de coco, incorporez 4 cuillerées à soupe de crème de coco ou remplacez 300 ml de bouillon par du lait de coco. Décorez-la ensuite de copeaux de noix de coco fraîche.

2

4

5

Soupe glacée à l'avocat, au citron vert et à la coriandre

Une succulente soupe aux saveurs typiquement thaïes, qui ne nécessite aucune cuisson et peut être servie à tout moment de la journée.

4 personnes

INGRÉDIENTS

2 avocats mûrs
1 petit oignon doux, émincé
1 gousse d'ail, hachée
2 cuil. à soupe de coriandre fraîche hachée
1 cuil. à soupe de menthe fraîche hachée
2 cuil. à soupe de jus de citron vert
700 ml de bouillon de légumes
1 cuil. à soupe de vinaigre de riz
1 cuil. à soupe de sauce de soja claire
sel et poivre

GARNITURE
2 cuil. à soupe de crème fraîche
1 cuil. à soupe de coriandre fraîche finement hachée
2 cuil. à café de jus de citron vert
fins rubans de zeste de citron vert

1 Couper les avocats en deux et retirer le noyau et la peau. Mettre dans un robot de cuisine avec l'oignon, l'ail, la coriandre, la menthe, le jus de citron vert et la moitié du bouillon, et mixer jusqu'à obtention d'un mélange homogène.

2 Ajouter le bouillon restant, le vinaigre de riz et la sauce de soja, et mixer de nouveau jusqu'à ce que le mélange soit homogène. Rectifier l'assaisonnement en ajoutant du sel, du poivre ou du jus de citron vert si nécessaire. Couvrir et réserver au frais.

3 Pour la garniture au citron vert et à la coriandre, mélanger la crème fraîche, la coriandre et le jus de citron vert, et verser dans la soupe. Garnir de zeste de citron vert et servir.

CONSEIL

La surface du plat peut noircir légèrement si vous le conservez plus d'une heure au réfrigérateur. Il vous suffit de remuer la soupe avant de servir. Pour évitez ce désagrément, si vous avez prévu de laisser la soupe plusieurs heures au réfrigérateur, couvrez le plat de film alimentaire.

1

2

3

Poissons & Viandes

La Thaïlande est un pays où l'on mange essentiellement du poisson, la viande étant souvent reléguée au second plan sauf lors de circonstances particulières. Les cours d'eau pullulent de poissons – jusque dans les chenaux séparant les rizières et les mers chaudes qui regorgent de poissons et de crustacés. Il n'est donc pas surprenant que le poisson, avec le riz, occupe la place d'honneur dans l'alimentation thaïe.

Même au cœur de Bangkok, les marchés proposent une étonnante quantité et variété de poissons et de fruits de mer. Dans les villes côtières, des rangées de baraques aux toits de chaume s'étalent en bord de plage, proposant aux habitants comme aux touristes toutes sortes de fruits de mer venus des eaux chaudes du golfe, du poisson sauté ou cuit au barbecue au gingembre jusqu'aux crevettes au lait de coco et à la coriandre, en passant par le crabe à la vapeur.

Le bouddhisme interdit le sacrifice des animaux, les bouchers sont donc souvent des travailleurs immigrés, chinois notamment. Il n'est pas interdit de manger de la viande, mais elle est souvent réservée aux grandes occasions. Le poulet est plus commun que le bœuf, et il n'est pas rare de voir du poulet ou du porc mariés à des crustacés comme la crevette ou le crabe, un mélange qui se révèle délicieux. Le canard est aussi très apprécié, il est souvent cuit au barbecue et assaisonné d'épices ou laqué de soja ou de sucre, un peu comme dans la cuisine chinoise.

Sauté de bœuf aux germes de soja

Cette savoureuse recette est très facile à préparer et constitue un excellent repas en toute occasion. À accompagner d'une salade verte croquante.

4 personnes

INGRÉDIENTS

1 botte d'oignons verts
2 cuil. à soupe d'huile de tournesol
1 gousse d'ail, hachée
1 cuil. à café de gingembre frais haché
500 g de filets de bœuf tendre, coupé en fines lanières
4 cuil. à soupe de lait de coco
1 gros poivron rouge, épépiné et coupé en tranches
1 petit piment rouge, épépiné et haché
350 g de germes de soja frais
1 petite tige de lemon-grass, hachée
1 cuil. à soupe de vinaigre de riz
2 cuil. à soupe de beurre de cacahuètes
1 cuil. à soupe de sauce de soja
1 cuil. à café de sucre roux
250 g de nouilles aux œufs moyennes
sel et poivre

1 Éplucher les oignons verts et couper en fines rondelles. En réserver quelques-uns pour la garniture.

2 Chauffer l'huile dans un wok à feu vif, ajouter l'ail, l'oignon et le gingembre, et faire revenir 2 à 3 minutes. Ajouter le bœuf et faire revenir encore 4 à 5 minutes, jusqu'à ce qu'il soit doré.

3 Ajouter le poivron et faire revenir encore 3 à 4 minutes. Ajouter le piment et les germes de soja, et faire revenir 2 minutes.

4 Mélanger le lemon-grass, le beurre de cacahuètes, le lait de coco, le vinaigre, la sauce de soja et le sucre dans une terrine et incorporer le mélange obtenu au contenu du wok.

5 Cuire les nouilles aux œufs dans de l'eau bouillante légèrement salée, 4 minutes, ou selon les instructions figurant sur le paquet. Égoutter et incorporer au contenu du wok en remuant.

6 Saler et poivrer selon son goût. Parsemer d'oignons verts et servir très chaud.

Satay de bœuf aux cacahuètes

Les recettes de satay varient selon les pays asiatiques, mais ces petites brochettes savoureuses sont une version classique de ce plat traditionnel. La sauce aux cacahuètes rend cette recette très nourrissante.

4 personnes

INGRÉDIENTS

500 g de filet de bœuf, coupé en dés de 1,5 cm
2 gousses d'ail, hachées
1 morceau de gingembre frais de 2 cm, finement râpé
1 cuil. à soupe de sucre roux
1 cuil. à soupe de sauce de soja épaisse
1 cuil. à soupe de jus de citron vert
2 cuil. à café d'huile de sésame
1 cuil. à café de coriandre en poudre
1 cuil. à café de curcuma
1/2 cuil. à café de poudre de piment
concombre et poivrons, en accompagnement

SAUCE AUX CACAHUÈTES
1/2 petit oignon, râpé
300 ml de lait de coco
8 cuil. à soupe de beurre de cacahuètes avec des éclats de cacahuètes
2 cuil. à café de sucre roux
1/2 cuil. à café de poudre de piment
1/2 cuil. à soupe de sauce de soja épaisse

1 Mettre les dés de bœuf dans une terrine.

2 Ajouter l'ail, le gingembre, le sucre, la sauce de soja, le jus de citron vert, l'huile de sésame, la coriandre, le curcuma et le piment, et bien mélanger. Couvrir et laisser mariner au réfrigérateur 2 heures, ou toute une nuit si possible.

3 Pour la sauce aux cacahuètes, mettre tous les ingrédients dans une casserole et porter à ébullition à feu moyen, en remuant. Retirer du feu et réserver au chaud.

4 Piquer le bœuf sur des brochettes en bambou et cuire au barbecue ou au gril préchauffé, 3 à 5 minutes, en retournant souvent les brochettes, jusqu'à ce qu'elles soient dorées. Servir les brochettes avec la sauce et accompagner de concombre et de poivrons.

CONSEIL

Faites cuire le bœuf très rapidement à feu vif ; la viande conservera alors son jus et toute sa saveur. Assurez-vous que le gril soit très chaud lorsque vous y mettez les brochettes. Faites tremper les brochettes en bois 20 minutes dans l'eau froide avant utilisation ; ainsi elles ne brûleront pas à la cuisson.

2

3

4

Bœuf et poivron au lemon-grass

Très rapide à réaliser, cette délicieuse recette marie le bœuf aux arômes de lemon-grass et de gingembre tandis que les poivrons y ajoutent une touche de couleur.

4 personnes

INGRÉDIENTS

500 g de filets de bœuf
1 tige de lemon-grass, en lanières
1 oignon, coupé en fines rondelles
1 morceau de gingembre frais de 2,5 cm, haché
2 cuil. à soupe d'huile
1 poivron rouge, épépiné et coupé en fines rondelles
1 poivron vert, épépiné et coupé en fines rondelles
1 gousse d'ail, finement émincée
2 cuil. à soupe de jus de citron vert
sel et poivre
nouilles ou riz, en accompagnement

1 Couper le bœuf en lamelles, perpendiculairement aux fibres.

2 Chauffer l'huile à feu vif dans un wok ou une sauteuse, ajouter l'ail et faire revenir 1 minute.

3 Ajouter le bœuf et faire revenir 2 à 3 minutes, jusqu'à ce qu'il prenne légèrement couleur. Ajouter le lemon-grass et le gingembre en remuant et retirer le wok ou la sauteuse du feu.

4 Retirer la viande du wok ou de la sauteuse et réserver. Mettre l'oignon et les poivrons dans le wok et faire revenir 2 à 3 minutes à feu vif, jusqu'à ce qu'ils commencent à dorer et soient juste tendres.

5 Remettre le bœuf dans le wok, ajouter le jus de citron vert, saler et poivrer. Servir accompagné de nouilles ou de riz.

CONSEIL

Lorsque vous préparez le lemon-grass, veillez à retirer les couches extérieures, qui peuvent être dures et fibreuses. N'utilisez que le cœur de la tige, c'est lui qui renferme toute la saveur du lemon-grass.

1

2

3

Bœuf piquant aux noix de cajou

Épicées et faciles à préparer, ces lamelles de bœuf sont très appétissantes. À servir accompagné de riz complet et de rondelles de concombre pour adoucir la préparation.

4 personnes

INGRÉDIENTS

500 g d'aloyau de bœuf, coupé en lamelles d'environ 1,5 cm
1 cuil. à café d'huile

MARINADE
1 cuil. à soupe de graines de sésame
1 gousse d'ail, émincée
1 cuil. à soupe de gingembre frais haché
1 piment oiseau rouge, haché
2 cuil. à soupe de sauce de soja épaisse
1 cuil. à café de pâte de curry rouge

LAQUE
1 cuil. à café d'huile de sésame
4 cuil. à soupe de noix de cajou non-salées
1 oignon vert, coupé en biais, en larges tranches
tranches de concombre, en garniture

1 Mettre le bœuf dans une terrine non métallique.

2 Pour la marinade, faire griller les graines de sésame 2 à 3 minutes à feu moyen dans une poêle à fond épais, en secouant la poêle de temps en temps, jusqu'à ce qu'elles soient dorées.

3 Piler les graines de sésame, l'ail, le piment et le gingembre dans un mortier, jusqu'à obtention d'une pâte lisse. Ajouter la sauce de soja et la pâte de curry, et bien mélanger le tout.

4 Verser la pâte obtenue sur la viande et remuer pour que la viande soit bien enrobée. Couvrir et laisser mariner 2 à 3 heures au réfrigérateur, ou une nuit si possible.

5 Chauffer une grande poêle et graisser avec un peu d'huile. Ajouter la viande et cuire rapidement, en remuant souvent, jusqu'à ce qu'elle soit légèrement dorée. Retirer du feu et disposer les lamelles de bœuf sur un plat de service chaud.

6 Chauffer l'huile de sésame dans une poêle et faire revenir les noix de cajou, jusqu'à ce qu'elles soient dorées. Ajouter l'oignon vert et faire revenir 30 secondes. Parsemer la viande avec le mélange de noix de cajou et d'oignon vert, garnir de tranches de concombre et servir immédiatement.

Bœuf piquant et curry de noix de coco

Dans cette délicieuse recette parfumée, le lait de coco qui accompagne le riz et le bœuf adoucit le goût du piment et apporte une savoureuse texture crémeuse.

4 personnes

INGRÉDIENTS

400 ml de lait de coco
2 cuil. à soupe de pâte de curry rouge
2 gousses d'ail, hachées
500 g de steak à braiser
2 feuilles de lime kafir, ciselées
2 cuil. à soupe de sauce de poisson thaïe
1 gros piment rouge, épépiné et coupé en rondelles
1/2 cuil. à café de curcuma
1/2 cuil. à café de sel
2 cuil. à soupe de feuilles de basilic fraîches, hachées
2 cuil. à soupe de feuilles de coriandre hachées
copeaux de noix de coco, en garniture
riz, en accompagnement

1 Verser le lait de coco dans une grande casserole et porter à ébullition. Réduire le feu et laisser mijoter 10 minutes à feu doux, jusqu'à épaississement. Incorporer la pâte de curry et l'ail, et laisser mijoter encore 5 minutes.

2 Couper le bœuf en cubes de 2 cm, incorporer au contenu de la casserole et porter à ébullition en remuant. Réduire le feu et ajouter les feuilles de lime, le jus de citron, la sauce de poisson, le piment, le curcuma et le sel.

3 Couvrir et laisser mijoter encore 20 à 25 minutes, jusqu'à ce que la viande soit tendre, en ajoutant un peu d'eau à la sauce si elle réduit trop rapidement.

4 Incorporer le basilic et la coriandre, et saler et poivrer. Parsemer de copeaux de noix de coco et servir accompagné de riz.

CONSEIL

Utilisez l'une des plus grosses et douces variétés de piment rouge, Fresno ou Dutch, les piments n'étant là que pour donner un peu de couleur au plat. Si vous préférez utiliser des piments thaïs ou des piments oiseau, un seul suffira car ils sont beaucoup plus forts.

Porc rouge rôti

Le glaçage rouge de la viande est souvent utilisé dans la cuisine chinoise pour apporter une touche de couleur aux viandes, aux salades ou aux soupes. Servez ces tranches de porc sur un lit de feuilles de chou chinois.

4 personnes

INGRÉDIENTS

600 g de filets de porc
chou chinois, ciselé, en accompagnement
fleurs de piment, en garniture

MARINADE
2 gousses d'ail, hachées
1 cuil. à soupe de sauce de poisson thaïe
1 cuil. à soupe de gingembre frais râpé
1 cuil. à soupe de sauce de soja claire
1 cuil. à soupe de vinaigre de riz
1 cuil. à soupe de sauce hoisin
1 cuil. à soupe d'huile de sésame
1/2 cuil. à café poudre de cinq-épices
1 cuil. à soupe de sucre de palme ou de sucre roux
quelques gouttes de colorant alimentaire rouge (facultatif)

1 Mélanger tous les ingrédients de la marinade et en enduire le porc. Mettre la viande et la marinade dans un grand plat, couvrir et laisser mariner toute une nuit au réfrigérateur.

2 Disposer une grille au-dessus d'une lèchefrite et remplir le plat à demi d'eau bouillante. Retirer le porc de la marinade, disposer sur la grille et réserver la marinade.

3 Cuire au four préchauffé à 240 °C (th. 8), 20 minutes. Arroser de marinade, réduire la température à 180 °C (th. 6) et cuire encore 35 à 40 minutes, en arrosant la viande de marinade de temps en temps, jusqu'à ce qu'elle prenne une couleur rouge-brun et soit bien cuite.

4 Couper en tranches épaisses et servir sur un lit de chou chinois.

CONSEIL

Vous pouvez aussi faire griller le porc. Découpez-le en lanières, laissez-les tremper dans la marinade, disposez-les dans un plat chemisé de papier d'aluminium et faites-les griller au gril très chaud, en les retournant de temps en temps et en les arrosant de marinade.

1

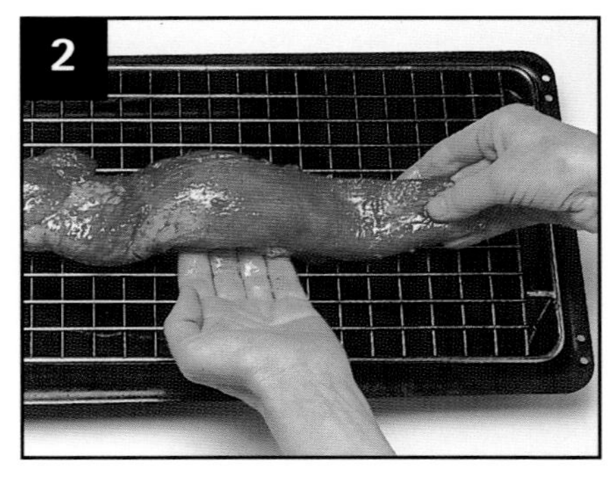
2

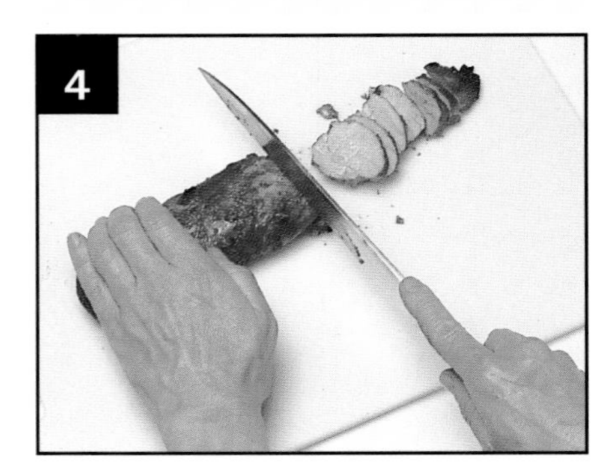
4

Porc laqué au soja et au sésame

Les cuisiniers thaïlandais parfument toujours la viande. Dans cette recette originale et délicieuse, le goût de l'ail et de la sauce de soja se marie à merveille avec la douceur du miel. Le filet de porc est peu épais ; surveillez la cuisson pour éviter qu'il ne devienne trop sec.

4 personnes

INGRÉDIENTS

2 filets de porc, d'environ 275 g chacun
2 cuil. à soupe de sauce de soja épaisse
2 cuil. à soupe de miel
2 gousses d'ail, hachées
1 cuil. à soupe de graines de sésame
1 cuil. à soupe de farine
1 oignon, coupés en fines rondelles
huile de tournesol, pour la friture
salade croquante, en accompagnement

1 Parer les filets de porc et mettre dans un grand plat non métallique.

2 Mélanger la sauce de soja, le miel et l'ail dans une terrine et enduire le porc du mélange obtenu.

3 Disposer le porc dans un plat allant au four et parsemer de graines de sésame.

4 Cuire au four préchauffé 210 °C (th.7), 20 minutes en arrosant souvent de jus de cuisson. Couvrir de papier d'aluminium pour éviter que la viande ne brûle et cuire encore 10 à 15 minutes, jusqu'à ce qu'elle soit bien cuite.

5 Mélanger la farine et l'oignon dans une terrine en retirant l'excédent. Chauffer l'huile et faire revenir les oignons, jusqu'à ce qu'ils soient dorés et croustillants, en retournant de temps en temps. Couper le porc en tranches et servir avec les oignons frits sur un lit de salade verte.

CONSEIL

Le porc est également excellent servi froid. Il convient parfaitement aux pique-niques, en particulier accompagné d'un condiment relevé au piment ou au sambal olek.

Sauté de porc au maïs

Une recette typiquement thaïe au maïs, un ingrédient récemment introduit en Thaïlande mais qui est très populaire et utilisé dans de nombreuses recettes. Il est possible d'utiliser du maïs en boîte mais pour un meilleur résultat, utilisez des épis de maïs frais.

4 personnes

INGRÉDIENTS

2 cuil. à soupe d'huile
500 g de porc maigre, désossée et coupé en fines tranches
1 gousse d'ail, hachée
350 g de grains de maïs frais
2 oignons verts, émincés
200 g de haricots verts, coupés en petits tronçons
1 petit piment rouge, coupé en morceaux
1 cuil. à soupe de sauce de soja claire
1 cuil. à café de sucre
3 cuil. à soupe de feuilles de coriandre hachées
nouilles aux œufs ou riz, en accompagnement

1 Chauffer l'huile dans un wok et faire rapidement revenir le porc à feu vif, jusqu'à ce qu'il prenne couleur.

2 Ajouter l'ail, le maïs, les haricots, le piment et les oignons verts, et faire revenir encore 2 à 3 minutes.

3 Incorporer le sucre et la sauce de soja et cuire encore 30 secondes.

4 Parsemer de coriandre et servir immédiatement, accompagné de riz ou de nouilles aux œufs.

CONSEIL

En Thaïlande, on utiliserait des haricots kilomètres, que nous avons ici remplacés par des haricots verts, plus faciles à trouver. Mais si vous pouvez vous en procurer dans une épicerie asiatique, n'hésitez pas : bien qu'ils possèdent un goût très similaire, ces haricots verts longs sont beaucoup plus croquants et ils cuisent plus vite.

Porc frit épicé

Cette savoureuse recette délicieusement relevée est idéale pour un repas en famille. Réalisable en quelques minutes, vous pouvez accompagner ce plat de pâtes aux œufs.

4 personnes

INGRÉDIENTS

2 gousses d'ail
3 échalotes
1 morceau de gingembre frais de 2,5 cm
2 cuil. à soupe d'huile de tournesol
500 g de porc maigre haché
1 cuil. à café de sauce de soja épaisse
1 cuil. à soupe de pâte de curry rouge
4 feuilles de lime kafir séchées
4 tomates olivettes, coupées en petits morceaux
3 cuil. à soupe de feuilles de coriandre hachées
2 cuil. à soupe de sauce de poisson thaïe
sel et poivre
nouilles fines aux œufs, en accompagnement

1 Éplucher et émincer finement l'ail et les échalotes, et hacher le gingembre. Chauffer l'huile dans un wok à feu moyen, ajouter l'ail, les échalotes et le gingembre et faire revenir 2 minutes. Ajouter le porc en remuant et cuire, jusqu'à ce qu'il soit doré.

2 Incorporer la sauce de poisson, la sauce de soja, la pâte de curry et les feuilles de lime et cuire encore 1 à 2 minutes à feu vif.

3 Ajouter les tomates et cuire encore 5 à 6 minutes, en remuant de temps en temps.

4 Ajouter la coriandre, saler et poivrer selon son goût. Servir chaud, disposé au centre d'un plat de nouilles aux œufs.

CONSEIL

Les feuilles de lime kafir séchées se révèlent très pratiques puisqu'elles peuvent être ajoutées directement dans des recettes rapides comme celle-ci. Si vous préférez utiliser des feuilles fraîches, coupez-les en fines lanières avant de les incorporer à la préparation.

1

3

4

Saucisses épicées à la thaïlandaise

Ces délicieuses saucisses délicatement relevées constituent une excellente idée de recette pour un buffet. Vous pouvez les préparer à l'avance et les déguster chaudes ou froides.

4 personnes

INGRÉDIENTS

400 g de chair à saucisse
4 cuil. à soupe de riz cuit
1 gousse d'ail, hachée
1 cuil. à café de pâte de curry rouge
1 cuil. à café de poivre noir moulu
1 cuil. à café de coriandre en poudre
1/2 cuil. à café de sel
3 cuil. à soupe de jus de citron vert
2 cuil. à soupe de feuilles de coriandre hachées
3 cuil. à soupe d'huile d'arachide
sambal à la noix de coco ou sauce de soja, en accompagnement

1 Mettre la chair à saucisse, le riz, l'ail, la pâte de curry, le poivre, la coriandre en poudre, le sel, le jus de citron vert et les feuilles de coriandre dans une terrine et pétrir avec les mains, jusqu'à obtention d'un mélange homogène.

2 Diviser la préparation en 12 portions et, avec les mains ou à l'aide de moules adaptés, façonner de petites saucisses.

3 Chauffer l'huile dans une grande poêle à feu moyen, ajouter les saucisses et cuire 8 à 10 minutes, en retournant de temps en temps, jusqu'à ce qu'elles soient uniformément dorées. Servir chaud accompagné d'un sambal à la noix de coco ou de sauce de soja.

CONSEIL

Vous pouvez aussi servir ce plat à l'apéritif ; divisez alors la préparation de base en 16 pour former des saucisses plus petites. Servez accompagné de sauce de soja.

1

2

3

Hamburgers à la thaïlandaise

Si votre famille aime les hamburgers, essayez ceux-ci : ils ont une saveur beaucoup plus originale que celle des hamburgers traditionnels.

4 personnes

INGRÉDIENTS

1 petite tige de lemon-grass
1 petit piment rouge, épépiné
2 gousses d'ail, pelées
2 oignons verts
200 g de champignons de Paris
400 g de chair à saucisse
1 cuil. à soupe de sauce de poisson thaïe
3 cuil. à soupe de feuilles de coriandre hachées
huile de tournesol, pour la friture
1 cuil. à soupe de jus de citron vert
sel et poivre
2 cuil. à soupe de mayonnaise

ACCOMPAGNEMENT
4 pains à hamburger au sésame
lanières de chou chinois

1 Dans un robot de cuisine, mixer le lemon-grass, le piment, l'ail et les oignons verts, jusqu'à obtention d'un mélange homogène.

2 Ajouter les champignons et mixer jusqu'à ce qu'ils soient finement hachés.

3 Incorporer la chair à saucisse, la sauce de poisson et la coriandre, saler et poivrer. Diviser la préparation en quatre et, avec les mains farinées, aplatir en forme de steak.

4 Chauffer l'huile dans une grande poêle à feu moyen, ajouter les steaks et cuire 6 à 8 minutes, ou selon son goût.

5 Mélanger la mayonnaise et le jus de citron vert. Couper les pains à hamburger en deux et tartiner de mayonnaise au citron vert. Ajouter des lanières de chou chinois, un steak, et recouvrir de la seconde moitié de pain. Servir chaud.

CONSEIL

Pour une texture différente, vous pouvez ajouter une cuillerée de votre sauce préférée dans chaque hamburger, ou quelques légumes croquants au vinaigre.

2

3

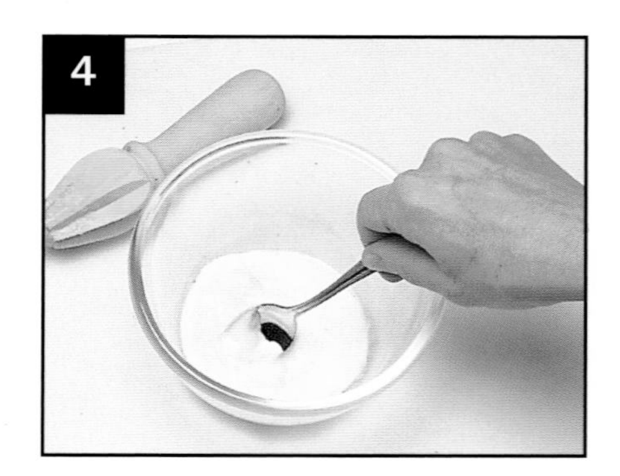
4

Curry rouge d'agneau

Dans cette recette, la pâte de curry rouge à base de piments séchés est utilisée pour donner une saveur relevée et une chaude couleur rousse.

4 personnes

INGRÉDIENTS

500 g de gigot d'agneau, désossé et coupé en cubes de 3 cm
2 cuil. à soupe d'huile
1 gros oignon, coupé en rondelles
2 gousses d'ail, hachées
2 cuil. à soupe de pâte de curry rouge
150 ml de lait de coco
1 cuil. à soupe de sucre roux
1 gros poivron rouge, épépiné
120 ml de bouillon de bœuf ou d'agneau
1 cuil. à soupe de sauce de poisson thaïe
2 cuil. à soupe de jus de citron vert
1 boîte de 225 g de châtaignes d'eau, égouttées
2 cuil. à soupe de feuilles de coriandre hachées
sel et poivre
riz au jasmin, en accompagnement
2 cuil. à soupe de basilic frais hachée
feuilles de basilic frais, en garniture

1 Chauffer l'huile dans un wok à feu vif et faire revenir l'ail et l'oignon 2 à 3 minutes, jusqu'à ce qu'ils soient tendres. Ajouter la viande et faire revenir rapidement jusqu'à ce qu'elle commence à dorer.

2 Ajouter la pâte de curry et cuire quelques secondes. Incorporer le lait de coco et le sucre, et porter à ébullition. Réduire le feu et laisser mijoter 15 minutes, en remuant.

3 Couper le poivron rouge en rondelles épaisses et mettre dans le wok. Ajouter le bouillon, le jus de citron vert et la sauce de poisson en remuant, couvrir et laisser mijoter encore 15 minutes, jusqu'à ce que la viande soit tendre.

4 Ajouter les châtaignes d'eau, la coriandre et le basilic, rectifier l'assaisonnement et servir accompagné de riz au jasmin.

CONSEIL

Ce plat peut être préparé avec d'autres viandes rouges maigres. Remplacez l'agneau par des magrets de canard dégraissés ou du bœuf à braiser.

1

3

4

Poulet rôti au gingembre et au citron vert

Cette recette est une version du poulet à la sauce aigre-douce vendue par les marchands de rue dans l'est du pays – le poulet est rôti entier ou à moitié, puis coupé et vendu en morceaux. Pour que le poulet s'imprègne bien des différentes saveurs, préparez cette recette à l'avance.

4 personnes

INGRÉDIENTS

- 1 morceau de gingembre frais de 3 cm, haché
- 2 gousses d'ail, finement hachées
- 1 oignon, finement émincé
- 1 tige de lemon-grass, hachée
- 1,5 kg de poulet à rôtir
- 1/2 cuil. à café de grains de poivre noir
- 1 cuil. à soupe de crème de coco
- 2 cuil. à soupe de miel
- 2 cuil. à soupe de jus de citron vert
- 1 cuil. à café de maïzena
- 2 cuil. à café d'eau
- 1/2 cuil. à café de sel
- légumes sautés, en accompagnement

1 Piler l'ail, le gingembre, l'oignon, le lemon-grass, le sel et le poivre dans un mortier, jusqu'à obtention d'une pâte lisse.

2 À l'aide de cisailles ou de ciseaux, couper le poulet en deux dans la longueur. Enduire de pâte à base d'ail l'intérieur, l'extérieur et la chair sous la peau des flancs. Couvrir et réserver toute une nuit, ou plusieurs heures au moins au réfrigérateur.

3 Chauffer la crème de coco, le jus de citron vert et le miel dans une casserole, en remuant, jusqu'à obtention d'un mélange homogène, et en enduire le poulet.

4 Mettre les demi-poulets sur une grille au-dessus d'une lèchefrite à demi remplie d'eau bouillante. Cuire au four préchauffé à 180 °C (th. 6), 1 heure, jusqu'à ce que le poulet soit bien doré, en arrosant de temps en temps avec le mélange à base de miel.

5 Porter à ébullition l'eau restée dans la lèchefrite et faire réduire pour qu'il reste environ 125 ml. Délayer la maïzena dans l'eau et l'incorporer au jus réduit. Chauffer à feu doux jusqu'à ébullition et remuer délicatement jusqu'à ce que le mélange épaississe. Servir le poulet nappé de sauce et accompagné de légumes sautés.

Sauté de poulet à la mangue

Délice de saveurs exotiques et véritable régal pour les yeux, cette recette originale et simple à réaliser constitue une excellente idée pour un repas en famille.

4 personnes

INGRÉDIENTS

6 cuisses de poulet, désossées et sans la peau
1 morceau de gingembre frais de 2,5 cm, râpé
1 gousse d'ail, hachée
1 petit piment rouge, épépiné
1 gros poivron rouge
4 oignons verts
200 g de pois mange-tout
100 g de mini-épis de maïs
1 grosse mangue mûre
2 cuil. à soupe d'huile de tournesol
1 cuil. à café d'huile de sésame
1 cuil. à soupe de sauce de soja claire
3 cuil. à soupe de vinaigre de riz ou de xérès sec
sel et poivre
ciboulette hachée, en garniture

1 Couper le poulet en tranches fines et mettre dans une terrine. Mélanger le gingembre, le piment et l'ail, verser sur le poulet et remuer pour bien l'enrober.

2 Couper les épis de maïs, les mange-tout et les oignons verts en deux et en biais. Peler la mangue, retirer le noyau et couper en tranches épaisses.

3 Chauffer l'huile à feu vif dans un wok ou une sauteuse, ajouter les cuisses de poulet et faire revenir 4 à 5 minutes, jusqu'à ce qu'elles commencent à dorer.

4 Ajouter le poivron et faire revenir 4 à 5 minutes à feu moyen, jusqu'à ce qu'il soit tendre.

5 Ajouter les oignons verts, le maïs et les mange-tout, et faire revenir encore 1 minute.

6 Mélanger la sauce de soja, le vinaigre de riz ou le xérès et l'huile de sésame, et incorporer le mélange au contenu du wok. Ajouter la mangue et remuer délicatement 1 minute pour qu'elle chauffe.

7 Saler et poivrer, garnir le tout de ciboulette hachée et servir immédiatement.

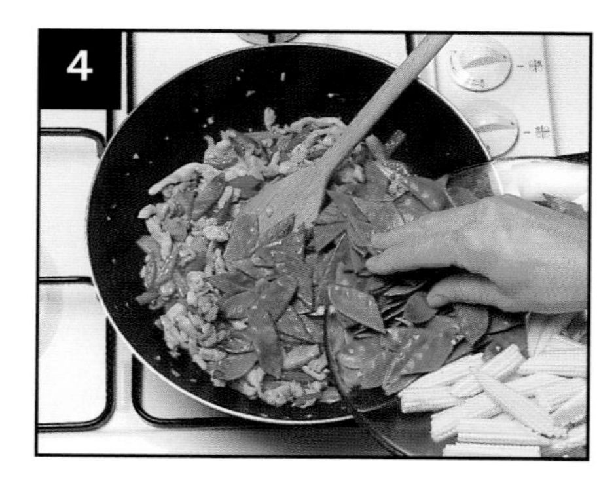

Poulet à la coriandre à la mode thaïe

Ces savoureux blancs de poulet marinés, parfumés de zeste de citron vert et de coriandre seront délicieux accompagnés de riz nature et d'une salade de concombres.

4 personnes

INGRÉDIENTS

4 blancs de poulet, sans la peau
2 gousses d'ail, pelées
1 piment vert frais, épépiné
1 morceau de gingembre frais de 2 cm, pelé
4 cuil. à soupe de feuilles de coriandre hachée
zeste râpé d'un citron vert
3 cuil. à soupe de jus de citron vert
175 ml de lait de coco
2 cuil. à soupe de sauce de soja claire
1 cuil. à soupe de sucre en poudre
riz, en accompagnement
tranches de concombre et de radis, en garniture

1 À l'aide d'un couteau tranchant, pratiquer 3 entailles dans chaque blanc de poulet et disposer en une seule couche dans un plat non métallique.

2 Dans un robot de cuisine, mixer l'ail, le piment, la coriandre, le gingembre, le zeste et le jus de citron vert, la sauce de soja, le sucre en poudre et le lait de coco, jusqu'à obtention d'un mélange homogène et lisse.

3 Verser la préparation sur les blancs de poulet pour qu'ils en soient uniformément recouverts. Couvrir et laisser mariner environ 1 heure au réfrigérateur.

4 Retirer le poulet de la marinade, égoutter et mettre sur une feuille de papier sulfurisé. Passer au gril préchauffé 12 à 15 minutes, jusqu'à ce que le poulet soit complètement cuit.

5 Verser la marinade restante dans une casserole et porter à ébullition. Réduire le feu et laisser mijoter quelques minutes, jusqu'à qu'elle soit bien réchauffée. Napper les blancs de poulet de marinade. Garnir de tranches de concombre et de radis, accompagner de riz et servir.

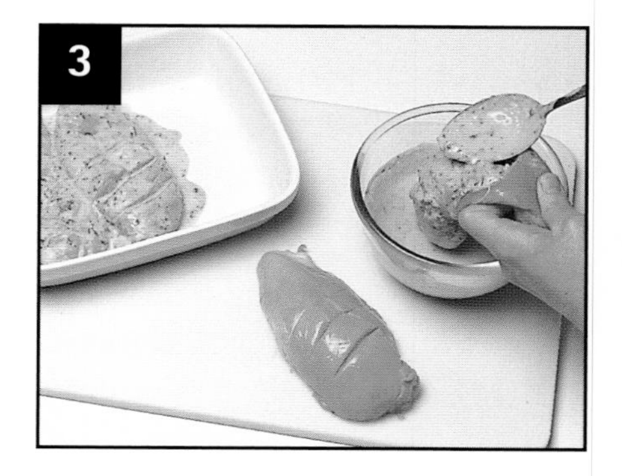
3

4

5

Poulet au curry vert

Dans cette succulente recette, le riz et le lait de coco adoucissent le goût du curry vert, généralement très fort, et se marient parfaitement avec le poulet.

4 personnes

INGRÉDIENTS

6 cuisses de poulet, désossées et sans la peau
400 ml de lait de coco
2 gousses d'ail, hachées
2 cuil. à soupe de sauce de poisson thaïe
2 cuil. à soupe de pâte de curry vert
12 aubergines naines
3 piments verts, hachés
3 feuilles de lime kafir, en lanières
4 cuil. à soupe de feuilles de coriandre hachées
riz, en accompagnement

1 Couper le poulet en cubes. Verser le lait de coco dans un wok ou une grande sauteuse et porter à ébullition à feu vif.

2 Ajouter le poulet, l'ail et la sauce de poisson, et porter de nouveau à ébullition. Réduire le feu et laisser mijoter 30 minutes à feu doux, jusqu'à ce que le poulet soit tendre.

3 Retirer le poulet du wok et réserver au chaud.

4 Incorporer la pâte de curry au contenu du wok, ajouter les aubergines, le piment et les feuilles de lime et laisser mijoter 5 minutes.

5 Remettre le poulet dans le wok et porter de nouveau à ébullition. Saler et poivrer selon son goût et ajouter la coriandre en remuant. Servir accompagné de riz nature.

CONSEIL

Les aubergines naines, également appelées « pommes thaïes », traditionnellement utilisées dans la préparation de ce plat, ne sont pas faciles à trouver en Occident. Si vous n'arrivez pas à vous en procurer dans des épiceries asiatiques, remplacez-les par des aubergines japonaises, une variété plus petite et plus fade, coupées en petits morceaux.

2

4

5

Poulet braisé à l'ail et aux épices

Le saveurs intenses de cette recette se révéleront à la cuisson. La viande doit quasiment se détacher de l'os pour fondre dans la sauce délicieusement épicée.

4 personnes

INGRÉDIENTS

4 gousses d'ail, hachées
4 échalotes, hachées
2 petits piments rouges, épépinés et hachés
1 tige de lemon-grass, hachée
1 cuil. à soupe de feuilles de coriandre hachées
1 cuil. à café de pâte de crevette
1/2 cuil. à café de cannelle en poudre
1 cuil. à soupe de pâte de tamarin
2 cuil. à soupe d'huile
8 pilons ou petites cuisses de poulet
300 ml de bouillon de poulet
1 cuil. à soupe de sauce de poisson thaïe
1 cuil. à soupe de beurre de cacahuètes
sel et poivre
4 cuil. à soupe de cacahuètes grillées concassées
légumes sautés et nouilles, en accompagnement

1 Piler l'ail, les échalotes, les piments, le lemon-grass, la coriandre et la pâte de crevette dans un mortier, jusqu'à obtention d'une pâte épaisse et presque lisse. Ajouter la cannelle et la pâte de tamarin.

2 Chauffer l'huile dans un wok ou une grande sauteuse et faire revenir les cuisses ou les pilons, en retournant souvent, jusqu'à ce qu'ils soient dorés uniformément. Retirer du feu, réserver au chaud et retirer l'excédent de graisse du wok.

3 Verser la pâte aux épices dans le wok ou la sauteuse et faire revenir à feu moyen. Ajouter le bouillon en remuant et remettre le poulet dans le wok.

4 Porter à ébullition, couvrir et réduire le feu. Laisser mijoter 25 à 30 minutes, en remuant de temps en temps, jusqu'à ce que le poulet soit tendre et bien cuit. Incorporer la sauce de poisson et le beurre de cacahuètes, et laisser mijoter encore 10 minutes à feu doux.

5 Saler, poivrer et parsemer de cacahuètes concassées. Servir chaud, accompagné de légumes sautés et de nouilles.

1

3

4

Magrets de canard au piment et au citron vert

Le canard est une excellente viande très parfumée. Dans cette recette, il est enrobé d'une savoureuse marinade qui le rend irrésistible. À servir accompagné de riz au jasmin et de salade verte.

4 personnes

INGRÉDIENTS

4 magrets de canard
2 gousses d'ail, hachées
4 cuil. à café de sucre roux
3 cuil. à soupe de jus de citron vert
1 cuil. à soupe de sauce de soja claire
1 cuil. à café de sauce au piment
1 cuil. à café d'huile
2 cuil. à soupe de confiture de prunes
100 ml de bouillon de poulet
sel et poivre

1 À l'aide d'un couteau tranchant, pratiquer de profondes entailles dans la peau des magrets pour dessiner un damier et disposer dans un grand plat non métallique.

2 Mélanger l'ail, le sucre, le jus de citron vert, la sauce au piment et la sauce de soja, et verser ce mélange dans le plat pour en enrober le canard.

3 Couvrir le plat de film alimentaire et laisser mariner au moins 3 heures au réfrigérateur, ou toute une nuit si possible.

4 Égoutter le canard en réservant la marinade. Chauffer une poêle à fond épais jusqu'à ce qu'elle soit très chaude et graisser avec un peu d'huile. Cuire les magrets, côté peau vers le bas, 4 à 5 minutes, jusqu'à ce que la peau soit dorée et croustillante. Retirer l'excédent de graisse.

5 Retourner les magrets et laisser dorer l'autre face 2 à 3 minutes. Ajouter la marinade, la confiture de prunes et le bouillon, et laisser mijoter 2 minutes. Saler, poivrer et servir chaud, arrosé de jus.

CONSEIL

Si vous souhaitez limiter la quantité de matière grasse, retirez la peau des magrets avant de les cuire et réduisez légèrement le temps de cuisson.

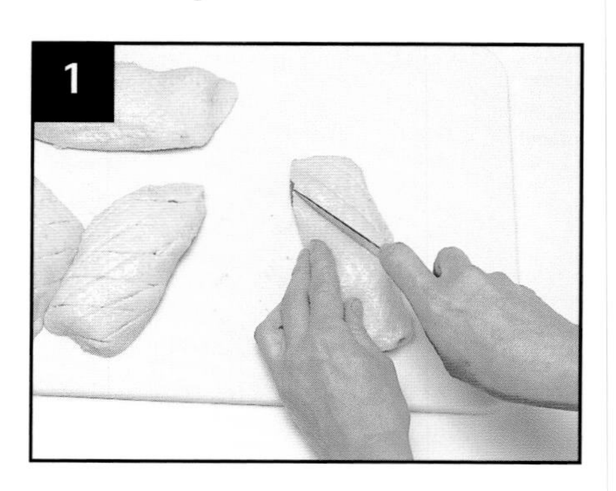
1

3

4

Canard rôti au curry d'ananas et de noix de coco

Le canard est une viande riche en matière grasse mais très savoureuse. Dans cette recette, il est rôti au gril jusqu'à ce qu'il soit doré et croustillant, de manière à retirer l'excédent de graisse.

4 personnes

INGRÉDIENTS

1 canardeau d'environ 1,6 kg
2 cuil. à soupe d'huile d'arachide
1 petit ananas
1 gros oignon, émincé
1 gousse d'ail, finement émincée
1 cuil. à café de gingembre frais haché
1/2 cuil. à café de coriandre en poudre
1 cuil. à soupe de pâte de curry vert
1 cuil. à café de sucre roux
450 ml de lait de coco
sel et poivre
feuilles de coriandre fraîches hachées, en garniture
riz au jasmin, en accompagnement

1 À l'aide d'un couteau tranchant ou de cisailles, couper le canard en deux le long de la colonne vertébrale et sécher sur du papier absorbant. Saler et poivrer, piquer la peau avec la pointe d'une fourchette et enduire d'un peu d'huile.

2 Mettre les moitiés de canard dans un plat allant au four, côté peau vers le haut, et passer au gril préchauffé, 25 à 30 minutes, en retournant de temps en temps, jusqu'à ce qu'elles soient dorées. Retirer l'excédent de graisse fondue du plat en veillant à ne pas se brûler.

3 Laisser tiédir le canard et couper chaque moitié de viande en deux. Éplucher l'ananas, retirer le cœur, et couper la chair en dés.

4 Faire revenir l'oignon et l'ail 3 à 4 minutes dans l'huile restante, jusqu'à ce qu'ils soient tendres. Ajouter la coriandre, la pâte de curry, le sucre et le gingembre, et faire revenir 1 minute.

5 Ajouter le lait de coco et porter à ébullition. Ajouter le canard et l'ananas, réduire le feu et laisser mijoter 5 minutes. Parsemer de coriandre et servir avec du riz au jasmin.

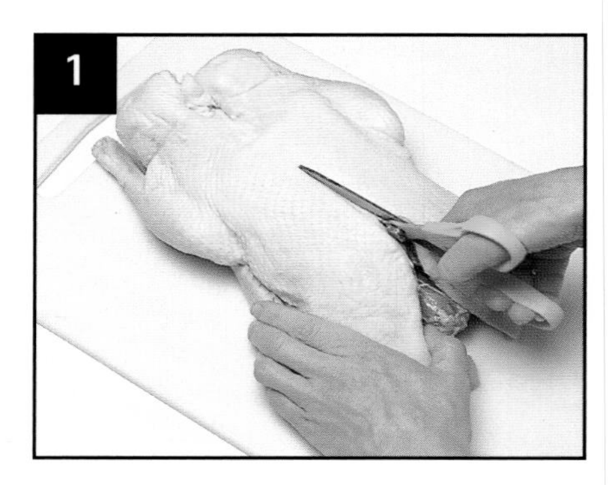
1

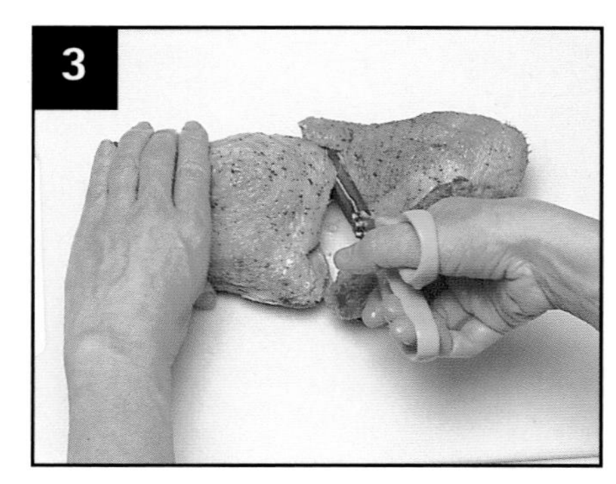
3

5

Filets de poisson jaunes à la vapeur

La Thaïlande regorge de poissons frais, qui constituent l'essentiel de l'alimentation des habitants. Cette recette très populaire est adaptable à toute variété de poisson. À servir accompagnée de légumes et d'une salade de germes de soja.

4 personnes

INGRÉDIENTS

500 g de filets de poisson, de vivaneau, de plie ou de baudroie par exemple
1 piment oiseau rouge séché
1 petit oignon, émincé
3 gousses d'ail, émincées
2 brins de coriandre fraîche
1 cuil. à café de graines de coriandre
1/2 cuil. à café de curcuma
1/2 cuil. à café de poivre noir moulu
1 cuil. à soupe de sauce de poisson thaïe
2 cuil. à soupe de lait de coco
1 petit œuf, battu
2 cuil. à soupe de farine de riz
sauce de soja, en accompagnement
piments émincés, en garniture

1 Retirer la peau des filets de poisson et couper en biais, en tranche de 2 cm de large.

2 Piler le piment oiseau, l'oignon, l'ail, la coriandre et les graines de coriandre dans un mortier, jusqu'à obtention d'une pâte lisse.

3 Ajouter le curcuma, le poivre noir, la sauce de poisson thaïe, le lait de coco et l'œuf battu, et bien mélanger.

4 Passer les filets dans la pâte au piment et dans la farine de riz.

5 Mettre les filets dans un panier à étuver. Couvrir et cuire 12 à 15 minutes au bain-marie, jusqu'à ce que le poisson soit juste ferme.

6 Servir accompagné de sauce de soja et de légumes frais ou d'une salade.

CONSEIL

Improvisez un panier à étuver en plaçant une passoire métallique au-dessus d'une casserole d'eau bouillante couverte d'une assiette retournée pour que la vapeur cuise au mieux le poisson.

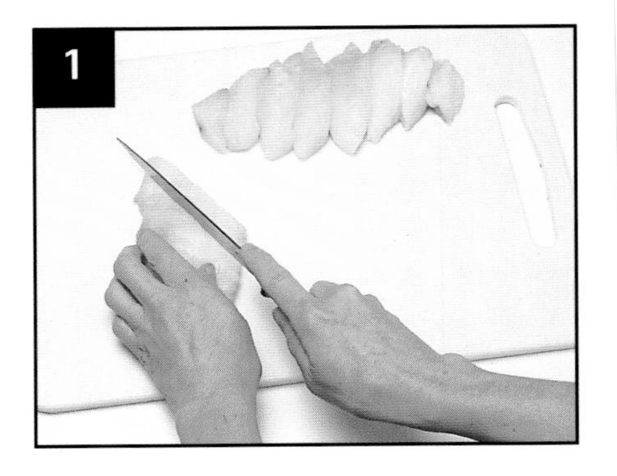
1

4

5

Poisson en papillotes au poivron et au piment

Presque tous les poissons peuvent être préparés de cette manière mais le vivaneau, le bar ou le saint-pierre se marient particulièrement bien avec les saveurs thaïes.

4 personnes

INGRÉDIENTS

- 1 poignée de feuilles de basilic fraîches
- 1 poisson entier de 750 g (vivaneau, bar ou saint-pierre), vidé
- 2 cuil. à soupe d'huile d'arachide
- 2 cuil. à soupe de sauce de poisson thaïe
- 2 gousses d'ail, hachées
- 1 cuil. à café de galanga ou de gingembre frais finement râpé
- 2 gros piments rouges frais, coupés en tranches en biais
- 1 poivron jaune, épépiné et coupé en dés
- 1 cuil. à soupe de vinaigre de riz
- 2 cuil. à soupe d'eau ou de fumet de poisson
- 1 cuil. à soupe de sucre de palme
- 2 tomates, épépinées et coupées en quartiers

1 Réserver quelques feuilles de basilic et utiliser le reste pour farcir le poisson.

2 Chauffer une cuillerée à soupe d'huile dans une grande poêle et faire rapidement frire le poisson, en retournant une fois. Disposer dans un plat allant au four chemisé de papier d'aluminium et arroser de sauce de poisson. Fermer la papillote et cuire au four préchauffé, à 190 °C (th 6-7), 25 à 30 minutes, jusqu'à ce que le poisson soit juste cuit.

3 Chauffer l'huile restante dans une poêle et faire revenir l'ail, le galanga et le piment, 30 secondes. Ajouter le poivron et cuire encore 2 à 3 minutes.

4 Ajouter le sucre, le vinaigre de riz et l'eau ou le fumet de poisson en remuant. Ajouter les tomates, porter à ébullition et retirer du feu.

5 Retirer le poisson du four et disposer dans un plat de service chaud. Incorporer le jus de cuisson du poisson au contenu de la poêle et verser sur le poisson. Parsemer de feuilles de basilic et servir.

CONSEIL

Les gros piments rouges sont moins forts que les piments oiseau ; vous pouvez donc en ajouter plus librement pour donner un goût plus épicé. Vous pouvez les épépiner si vous préférez.

1

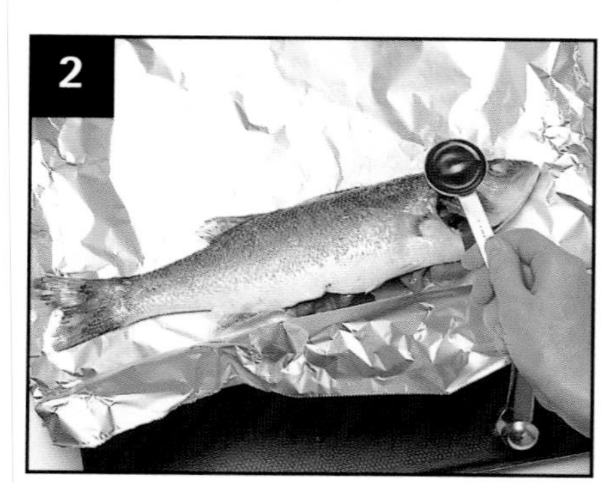
2

3

Cabillaud pané cuit au four

Une recette facile et bon marché qui peut faire de n'importe quel poisson blanc un délicieux mets exotique. À servir accompagné de pommes de terre nouvelles et de salade verte.

4 personnes

INGRÉDIENTS

4 filets de cabillaud, d'environ 150 g chacun
80 g de chapelure blanche
2 cuil. à soupe de d'amandes mondées concassées
2 cuil. à café de pâte de curry verte
zeste finement râpé d'un demi-citron vert
1/2 cuil. à café d'huile de sésame
sel et poivre

GARNITURE
quartiers de citron vert
pommes de terre nouvelles et mesclun, en garniture

1 Graisser un plat allant au four avec l'huile de sésame et disposer les filets de cabillaud en une seule couche.

2 Mélanger la chapelure, la pâte de curry, les amandes et le zeste râpé dans une terrine, saler et poivrer.

3 Étaler ce mélange sur les filets de cabillaud en pressant légèrement pour qu'il adhère au poisson.

4 Cuire au four préchauffé, à 210 °C (th. 7) 35 à 40 minutes, jusqu'à ce que le poisson soit complètement cuit et la panure bien dorée. Garnir de quartiers de citron vert, de pommes de terre nouvelles et de mesclun et servir très chaud.

CONSEIL

Pour vérifier que le poisson est bien cuit, utilisez une fourchette pour le piquer en sa partie la plus charnue. Si la chair est blanche et se délite facilement, la cuisson est terminée.

1

2

3

Poisson à la sauce de soja et au gingembre

Proposez ce plat étonnant lors d'un dîner de fête, où il sera le principal sujet de conversation. Achetez le bar le jour même de sa préparation en demandant à votre poissonnier de le nettoyer en laissant la tête de préférence.

4 à 6 personnes

INGRÉDIENTS

6 champignons chinois séchés
3 cuil. à soupe de vinaigre de riz
2 cuil. à soupe de sucre roux
3 cuil. à soupe de sauce de soja épaisse
2 cuil. à café de maïzena
2 cuil. à soupe de jus de citron vert
1 morceau de gingembre frais de 7,5 cm, haché
4 oignons verts, coupés en biais et en tranches
1 bar entier d'environ 1 kg, vidé
sel et poivre
4 cuil. à soupe de farine
huile de tournesol, pour la friture
lanières de chou chinois et tranches de radis, en accompagnement
1 radis, en garniture

1 Faire tremper les champignons chinois 10 minutes dans l'eau chaude. Bien égoutter, en réservant 125 ml du jus, et couper en fines tranches.

2 Mélanger le jus des champignons avec le vinaigre de riz, le sucre et la sauce de soja, verser dans une casserole avec les champignons et porter à ébullition. Réduire le feu et laisser mijoter 3 à 4 minutes.

3 Ajouter le gingembre et les oignons verts, et cuire 1 minute. Délayer la maïzena dans le jus de citron vert, incorporer la pâte obtenue au contenu de la casserole et cuire 1 à 2 minutes, jusqu'à ce que la sauce épaississe et soit onctueuse. Réserver la sauce pendant la cuisson du poisson.

4 Saler et poivrer l'intérieur et l'extérieur du poisson, et saupoudrer uniformément de farine.

5 Chauffer 2,5 cm d'huile à 200 °C dans une grande poêle, un dé de pain doit y dorer en 30 secondes. Ajouter le poisson et cuire 3 à 4 minutes d'un côté, jusqu'à ce qu'il soit doré. À l'aide de 2 spatules métalliques, retourner le poisson et cuire 3 à 4 minutes de l'autre côté, jusqu'à ce qu'il soit également doré.

6 Retirer le poisson de la poêle, en enlevant l'excédent d'huile, et disposer sur un plat. Porter la sauce à ébullition et verser sur le poisson. Garnir de tranches de radis et servir immédiatement.

Thon épicé à la sauce aigre-douce

La consistance du thon se rapproche de celle de la viande. Vous pouvez également utiliser du maquereau ou du petit requin pour réaliser cette délicieuse recette.

4 personnes

INGRÉDIENTS

4 steaks de thon frais, d'environ 950 g au total
1/4 de cuil. à café de poivre noir moulu
2 cuil. à soupe d'huile d'arachide
1 oignon, coupé en dés
1 petit poivron rouge, épépiné et coupé en julienne
1 gousse d'ail, hachée
1/2 concombre, épépiné et coupé en julienne
2 tranches d'ananas, coupées en dés
1 cuil. à café de gingembre frais haché
1 cuil. à soupe de sucre roux
1 cuil. à soupe de maïzena
1 cuil. à soupe 1/2 de jus de citron vert
250 ml de fumet de poisson
1 cuil. à soupe de sauce de poisson thaïe

GARNITURE
rondelles de citron vert
rondelles de concombre

1 Poivrer les steaks de thon des deux côtés. Chauffer un gril en fonte ou une grande poêle et graisser avec un peu d'huile. Cuire les steaks de thon 8 minutes, en retournant 1 fois.

2 Dans une casserole, chauffer l'huile restante et faire revenir l'oignon, le poivre et l'ail 3 à 4 minutes à feu doux, jusqu'à ce qu'ils soient tendres.

3 Retirer du feu et incorporer le concombre, le gingembre, l'ananas et le sucre en remuant.

4 Délayer la maïzena dans le jus de citron vert et la sauce de poisson, et verser dans la casserole. Chauffer à feu moyen en remuant jusqu'à ébullition, et cuire 1 à 2 minutes, jusqu'à ce que le mélange épaississe et soit onctueux.

5 Verser la sauce sur le thon, garnir de rondelles de concombre et de citron vert, et servir.

CONSEIL

Le thon se déguste peu cuit et peut devenir sec si la cuisson est trop longue.

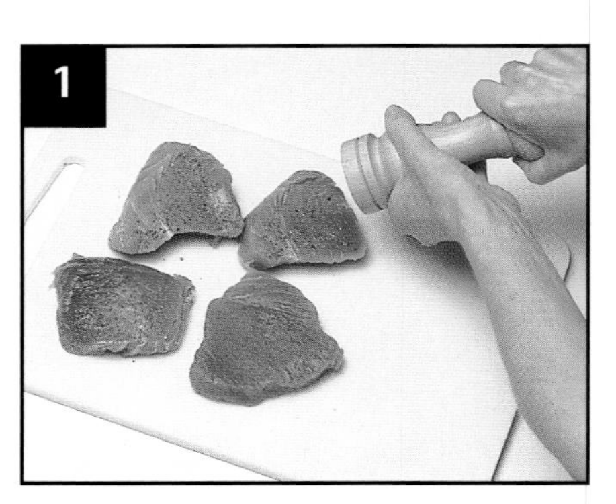
1

3

4

Saumon épicé à la thaïlandaise

Marinés dans de délicates épices thaïes parfumées et dorés à la perfection, ces délicieux filets de saumon seront parfaits pour une occasion spéciale.

4 personnes

INGRÉDIENTS

1 morceau de gingembre frais, râpé
1 cuil. à café de graines de coriandre, écrasées
2 cuil. à soupe d'huile
1 cuil. à café d'huile de sésame
1/4 de cuil. à café de poudre de piment
1 cuil. à soupe de jus de citron vert
4 filets de saumon avec la peau, d'environ 150 g chacun
riz nature et légumes sautés, en accompagnement

1 Mélanger le gingembre avec la coriandre, le piment, le jus de citron vert et l'huile de sésame.

2 Mettre le saumon dans un plat non métallique et verser la préparation au gingembre à l'intérieur du filet de poisson, en badigeonnant chaque filet de façon uniforme.

3 Couvrir le plat de film alimentaire et réserver au frais 30 minutes.

4 Chauffer l'huile à feu vif dans une grande poêle à fond épais, ajouter le saumon, côté peau vers le bas.

5 Cuire le poisson 4 à 5 minutes, sans le retourner, jusqu'à ce qu'il soit croustillant dessous et que la chair se délite facilement. Servir chaud accompagné de riz nature et de légumes sautés.

CONSEIL

Il est important pour cette recette d'utiliser une poêle à fond épais afin que le poisson puisse cuire uniformément sans attacher à la poêle. Si les filets sont très épais, vous pouvez éventuellement les retourner 1 fois pour les cuire 2 à 3 minutes sur l'autre face.

Curry rouge de saumon en papillote

Les feuilles de bananier sont d'usage courant dans la cuisine thaïe pour enrouler les ingrédients crus comme le poisson avant de les faire bouillir ou cuire. Elles sont généralement disponibles dans les épiceries orientales mais vous pouvez également les remplacer par du papier d'aluminium.

4 personnes

INGRÉDIENTS

4 filets de saumon, d'environ 175 g chacun
2 feuilles de bananier, coupées en deux
1 gousse d'ail, hachée
1 cuil. à café de sucre roux
1 cuil. à café de gingembre frais râpé
1 cuil. à soupe de pâte de curry rouge
1 cuil. à soupe de sauce de poisson thaïe
2 cuil. à soupe de jus de citron vert

GARNITURE
rondelles de citron vert
piment rouge, finement émincé

1 Disposer les filets de saumon au centre de chaque demi-feuille de bananier.

2 Mélanger l'ail avec le gingembre, la pâte de curry, le sucre et la sauce de poisson. Parsemer le poisson de ce mélange et arroser le tout de jus de citron vert.

3 Envelopper les poissons dans les feuilles de bananier, en repliant les côtés les uns après les autres pour former des papillotes, et maintenir fermé à l'aide d'une pique à cocktail.

4 Disposer les papillotes, jointure vers le bas, sur une feuille de papier sulfurisé et cuire au four préchauffé, à 220 °C (th. 7-8), 15 à 20 minutes, jusqu'à ce que le poisson soit cuit et que les feuilles de bananier prennent couleur. Garnir de citron vert et de piment émincé, et servir.

CONSEIL

Les feuilles de bananier sont souvent vendues en sachets de plusieurs feuilles. Si vous en achetez plus que nécessaire, vous pouvez les conserver 1 semaine au réfrigérateur.

Marmite de fruits de mer épicée

Cette marmite à la mode thaïe délicieusement parfumée associe un mélange de fruits de mer avec une sauce à la noix de coco épicée pour un curry très doux.

4 personnes

INGRÉDIENTS

500 g de filets de poisson à chair blanche et ferme, baudroie ou flétan, de préférence
200 g de calmars, vidés
1 cuil. à soupe d'huile de tournesol
4 échalotes, finement émincées
2 gousses d'ail, finement émincées
2 cuil. à soupe de pâte de curry vert
2 petites tiges de lemon-grass, finement hachées
1 cuil. à café de pâte de crevette
500 ml de lait de coco
200 g de crevettes tigrées crues, décortiquées et déveinées
12 clams frais, nettoyés, dans leur coquille
8 feuilles de basilic, finement ciselées
riz, en accompagnement
feuilles de basilic, en garniture

1 Couper le poisson en cubes et les calmars en anneaux épais.

2 Chauffer l'huile dans un wok ou une sauteuse et faire revenir les échalotes, l'ail et la pâte de curry 1 à 2 minutes. Ajouter le lemon-grass et la pâte de crevette, incorporer le lait de coco et porter à ébullition.

3 Réduire le feu jusqu'à ce que le mélange frémisse, ajouter le poisson, les calmars et les crevettes tigrées, et cuire 2 minutes.

4 Ajouter les clams et cuire encore 1 minute, jusqu'à ce qu'ils s'ouvrent. Jeter ceux qui sont restés fermés.

5 Parsemer le tout de feuilles de basilic et servir immédiatement, accompagné de riz.

CONSEIL

Vous pouvez remplacer les clams par des moules fraîches dans leur coquille. Ajoutez-les à l'étape 4 et continuez comme indiqué.

1

3

4

Sauté de calmars à la sauce de soja noire pimentée

Le mode de cuisson adopté dans cette recette est idéal pour les calmars car, trop cuits, ils risquent de durcir. Cela permet aussi de préserver les couleurs et les arômes naturels des ingrédients.

4 personnes

INGRÉDIENTS

750 g de calmars, nettoyés
1 gros poivron rouge, épépiné
80 g de pois mange-tout, épluchés
1 chou chinois
3 cuil. à soupe de sauce de soja noire
1 cuil. à soupe de sauce de poisson thaïe
1 cuil. à soupe de vinaigre de riz
1 cuil. à soupe de sauce de soja épaisse
1 cuil. à café de sucre roux
1 cuil. à café de maïzena
1 cuil. à soupe d'eau
1 cuil. à soupe d'huile de tournesol
1 cuil. à café d'huile de sésame
1 gousse d'ail, finement émincée
1 petit piment oiseau rouge, coupé en morceaux
1 cuil. à café de gingembre frais râpé
2 oignons verts, émincés

1 Jeter les tentacules des calmars et couper les corps en quatre dans la longueur. Avec la pointe d'un couteau tranchant, pratiquer des entailles en forme de damier sur les calmars, sans transpercer la chair, et sécher sur du papier absorbant.

2 Couper le poivron en longues tranches fines et les pois en biais en deux. Râper grossièrement le chou chinois.

3 Mélanger la sauce de soja noire, la sauce de poisson thaïe, le vinaigre de riz, la sauce de soja et le sucre. Délayer la maïzena dans l'eau et incorporer la pâte obtenue à la sauce. Réserver.

4 Chauffer les huiles dans un wok, ajouter l'ail, le piment, les oignons verts et le gingembre, et faire revenir le tout 1 minute. Ajouter le poivron et faire revenir encore 2 minutes.

5 Ajouter les calmars et faire revenir 1 minute à feu vif. Incorporer les pois et le chou chinois, et cuire encore 1 minute, en remuant, jusqu'à ce que les feuilles soient flétries.

6 Incorporer la sauce et cuire 2 minutes en remuant, jusqu'à ce que la sauce épaississe et soit bien onctueuse. Servir immédiatement.

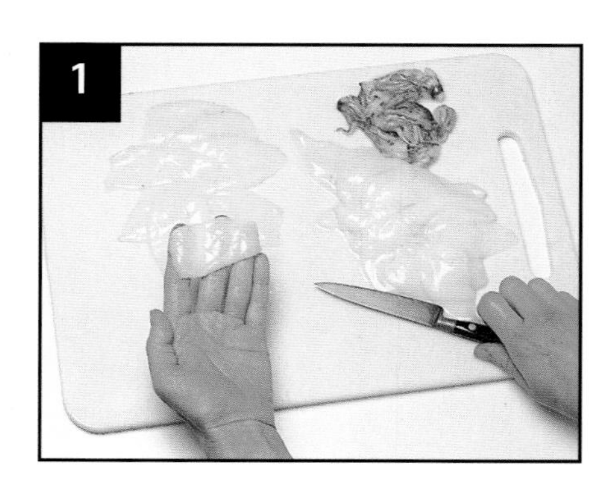
1

4

5

Noix de Saint-Jacques au citron vert

Pour cette recette, il suffit de faire légèrement revenir de fraîches noix de Saint-Jacques pour qu'elles conservent leur consistance si savoureuse et délicate.

4 personnes

INGRÉDIENTS

16 grosses noix de Saint Jacques
1 cuil. à soupe de beurre
1 cuil. à soupe d'huile
1 cuil. à café d'ail haché
1 cuil. à café de gingembre frais râpé
zeste râpé d'un citron vert
1 botte d'oignons verts, finement émincés
1 petit piment rouge, épépiné et finement haché
3 cuil. à soupe de jus de citron vert
sel et poivre

ACCOMPAGNEMENT
rondelles de citron vert
riz nature

1 Nettoyer les noix de Saint-Jacques en retirant les intestins, de couleur noire, laver et sécher sur du papier absorbant. Détacher le corail du blanc et couper les blancs en deux dans l'épaisseur pour obtenir deux rondelles.

2 Chauffer l'huile et le beurre dans un wok ou une sauteuse, ajouter l'ail et le gingembre, et faire revenir 1 minute sans les laisser roussir. Ajouter l'oignon vert et faire revenir 1 minute.

3 Ajouter les noix de Saint-Jacques et faire revenir 4 à 5 minutes à feu vif. Ajouter le zeste de citron, le piment et le jus de citron vert en remuant et cuire encore 1 minute.

4 Servir les noix chaudes, en les arrosant du jus de cuisson, accompagné de rondelles de citron vert et de riz.

CONSEIL

Si vous ne trouvez pas de noix de Saint-Jacques fraîches, utilisez des noix surgelées, mais assurez-vous de bien les faire décongeler avant utilisation. Égouttez-les et séchez-les bien sur du papier absorbant.

1

2

3

Brochettes de crevettes tigrées laquées au piment et au tamarin

Ces délicieuses crevettes tigrées, préparées au gril ou au barbecue, sont idéales pour vos déjeuners ou vos repas d'été. À servir accompagné d'une salade composée ou de feuilles de salade verte.

4 personnes

INGRÉDIENTS

1 gousse d'ail, finement émincée
1 piment oiseau, épépiné et coupé en morceaux
1 cuil. à soupe de pâte de tamarin
1 cuil. à soupe d'huile de sésame
1 cuil. à soupe de sauce de soja épaisse
2 cuil. à soupe de jus de citron vert
1 cuil. à soupe de sucre roux
16 crevettes tigrées crues entières

ACCOMPAGNEMENT
pain frais
4 quartiers de citron vert
feuilles de salade verte

1 Dans une petite casserole, mettre l'ail, le piment, la pâte de tamarin, l'huile de sésame, la sauce de soja, le jus de citron vert et le sucre, et cuire à feu doux, en remuant, jusqu'à ce que le sucre soit dissous. Retirer du feu et laisser refroidir complètement.

2 Laver les crevettes, sécher et disposer dans un plat non métallique. Verser la marinade sur les crevettes, en retournant pour qu'elles en soient bien enrobées. Couvrir le plat et laisser mariner au moins 2 heures au réfrigérateur ou toute une nuit si possible.

3 Faire tremper 4 brochettes en bois ou en bambou 20 minutes dans l'eau chaude, égoutter et piquer 4 crevettes sur chaque brochette.

4 Passer les crevettes au gril préchauffé ou au barbecue, 5 à 6 minutes, en retournant une fois, jusqu'à ce qu'elles rosissent et dorent.

5 Piquer un quartier de citron vert à la pointe de chaque brochette et servir accompagné de pain croustillant et de salade croquante.

Nouilles & Riz

La mousson et les abondantes précipitations constituent des conditions idéales pour la culture du riz ; c'est pourquoi la Thaïlande est l'un des principaux producteurs de riz du monde. On pense que le riz est apparu dans cette région 3 500 ans avant J.-C. Il n'est donc pas étonnant que le riz soit le produit le plus consommé et qu'il ait sa place sous une forme ou sous une autre dans tous les repas.

Dans la cuisine thaïe, on utilise principalement deux types de riz, l'un à grains ronds et l'autre à grains longs. Le riz long thaï est un riz parfumé, d'un beau blanc, aux grains cotonneux bien détachés. Le riz collant ou « gluant » est un grain rond qui contient beaucoup d'amidon, ce qui a pour résultat d'agréger les grains.

Les nouilles ont elles aussi une place importante et on peut en acheter dans la rue à toute heure. Les nouilles de riz vendues sous forme de rubans plats ou de fin vermicelle sont les plus répandues et doivent tremper dans l'eau avant d'être frites ou ajoutées aux soupes ou aux sautés. Le vermicelle transparent est aussi fabriqué dans le pays mais les nouilles aux œufs sont souvent importées de Chine. Les plats de nouilles sont servis avec une palette de condiments à utiliser selon son goût, qui comprennent en général de la poudre de piment séché, des cacahuètes pilées, de la sauce de poisson thaïe, de la sauce de soja et du sucre.

Nouilles de riz croustillantes

Une version de la recette favorite des thaïs, « mee krob », qui varie d'une maison à l'autre et d'un jour à l'autre en fonction des ingrédients disponibles.

4 personnes

INGRÉDIENTS

huile de friture, plus ½ cuil. à soupe
200 g de vermicelle chinois
1 blanc de poulet, sans la peau et haché
2 piments oiseau, épépinés et émincés
4 cuil. à soupe de champignons noirs séchés, trempés et finement émincés
3 cuil. à soupe de crevette séchée
4 oignons verts, finement émincés
3 cuil. à soupe de jus de citron vert
2 cuil. à soupe de sauce de soja
2 cuil. à soupe de sauce de poisson thaïe
2 cuil. à soupe de vinaigre de riz
2 cuil. à soupe de sucre roux
2 œufs, battus
3 cuil. à soupe de feuilles de coriandre hachée
1 oignon, finement émincé
4 gousses d'ail, finement émincées

GARNITURE
lanières d'oignon vert
feuilles de coriandre

1 Chauffer l'huile dans un wok jusqu'à ce qu'elle soit très chaude et faire rapidement frire le vermicelle, en retournant de temps en temps, jusqu'à ce qu'il soit doré, croustillant, et dissocié. Retirer du wok et égoutter sur du papier absorbant.

2 Chauffer 1 cuillerée à soupe d'huile et faire revenir l'oignon et l'ail 1 minute. Ajouter le poulet et faire revenir encore 3 minutes. Ajouter le piment, les champignons, la crevette séchée et les oignons verts en remuant.

3 Mélanger le jus de citron vert, la sauce de soja, le vinaigre de riz, la sauce de poisson et le sucre, incorporer le tout au contenu du wok et cuire encore 1 minute. Retirer le wok du feu.

4 Chauffer l'huile restante dans une grande poêle, ajouter les œufs battus et mélanger jusqu'à obtention d'une omelette épaisse. Cuire jusqu'à ce que l'omelette soit d'un beau jaune et retourner pour cuire l'autre face. Rouler l'omelette et couper en longs rubans.

5 Mélanger les nouilles, les ingrédients sautés, la coriandre et les rubans d'omelette. Garnir de lanières d'oignon vert et de feuilles de coriandre, et servir.

1

2

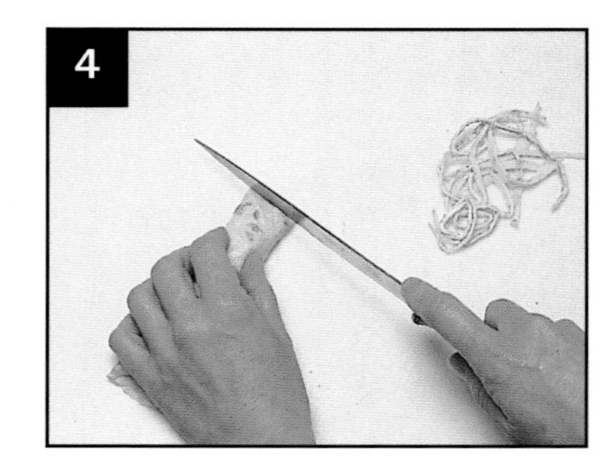
4

Nouilles au sésame, à la crevette et à la coriandre

Délicatement parfumées de sésame et de coriandre, ces nouilles constituent une recette originale pour un déjeuner ou un dîner.

4 personnes

INGRÉDIENTS

1 gousse d'ail, émincée
1 oignon vert, émincé
1 petit piment rouge, épépiné et émincé
1 poignée de feuilles de coriandre fraîche
300 g de nouilles fines aux œufs
2 cuil. à soupe d'huile
1 cuil. à café de pâte de crevette
2 cuil. à café d'huile de sésame
225 g de crevettes crues, décortiquées
2 cuil. à soupe de jus de citron vert
2 cuil. à soupe de sauce de poisson thaïe
1 cuil. à café de graines de sésame grillées

1 Piler l'ail, l'oignon, le piment et la coriandre dans un mortier, jusqu'à obtention d'une pâte homogène.

2 Verser les nouilles dans une casserole d'eau bouillante, porter à ébullition et cuire 4 minutes, ou selon les instructions figurant sur le paquet.

3 Chauffer l'huile dans un wok en remuant, verser la pâte de crevette et la préparation à base de coriandre. Cuire 1 minute à feu moyen en remuant.

4 Ajouter les crevettes en remuant et faire revenir 2 minutes. Ajouter le jus de citron vert et la sauce de poisson, et cuire encore 1 minute.

5 Égoutter les nouilles et ajouter au contenu du wok. Parsemer le tout de graines de sésame et servir.

CONSEIL

Les racines de coriandre sont couramment employées dans la cuisine thaïe ; si vous pouvez vous procurer de la coriandre fraîche avec la racine, utilisez-la dans cette recette, elle n'en sera que plus savoureuse. Dans le cas contraire, n'utilisez que les tiges et les feuilles.

3

4

5

Nouilles aigres-piquantes

Ce plat est traditionnellement vendu en Thaïlande par les marchands de rue et accompagné de différentes variétés de légumes et de viandes. Vous pouvez servir ce plat chaud ou froid, selon votre goût.

4 personnes

INGRÉDIENTS

250 g de nouilles aux œufs séchées moyennes
1 cuil. à soupe d'huile de sésame
1 cuil. à soupe d'huile pimentée
1 gousse d'ail, hachée
2 oignons verts, finement émincés
2 cuil. à soupe de jus de citron vert
55 g de champignons de Paris, émincés
40 g de champignons noirs chinois séchés, trempés, égouttés et émincés
3 cuil. à soupe de sauce de soja claire
1 cuil. à café de sucre

ACCOMPAGNEMENT
lanières de chou chinois
2 cuil. à soupe de coriandre hachée
2 cuil. à soupe de cacahuètes grillées

1 Cuire les nouilles dans une casserole d'eau bouillante, 3 à 4 minutes, ou selon les instructions figurant sur le paquet. Bien égoutter, arroser d'huile de sésame et réserver.

2 Chauffer l'huile pimentée dans un wok et faire rapidement revenir les champignons de Paris, l'ail, et les oignons verts.

3 Ajouter les champignons noirs, le jus de citron vert, la sauce de soja et le sucre, et faire revenir jusqu'à ce que le mélange frémisse. Ajouter les nouilles et secouer le wok pour bien mélanger le tout. Servir sur un lit de chou chinois, parsemé de coriandre et de cacahuètes grillées.

CONSEIL

L'huile pimentée thaïe est très relevée. Pour une saveur plus douce, utilisez de l'huile classique pour la première cuisson et ajoutez l'huile pimentée juste avant de servir.

1

Nouilles à la thaïlandaise

Une succulente recette classique qui marie parfaitement le porc et les crevettes. N'hésitez pas cependant à y ajouter votre touche personnelle en remplaçant les crevettes par du poisson.

4 personnes

INGRÉDIENTS

250 g de nouilles de riz
3 cuil. à soupe d'huile d'arachide
3 gousses d'ail, finement hachées
125 g de filet de porc, coupé en dés d'environ 1 cm
200 g de crevettes décortiquées
1 cuil. à soupe de sucre
3 cuil. à soupe de sauce de poisson thaïe
1 cuil. à soupe de ketchup
1 cuil. à soupe de jus de citron vert
2 œufs, battus
150 g de germes de soja

GARNITURE
1 cuil. à café de flocons de piment rouge séché
2 oignons verts, coupés en rondelles épaisses
2 cuil. à soupe de coriandre fraîche hachée

1 Faire tremper les nouilles 15 minutes dans de l'eau chaude, ou selon les instructions figurant sur le paquet.

2 Chauffer l'huile dans un wok et faire revenir l'ail 30 secondes à feu vif. Ajouter le porc et faire revenir 2 à 3 minutes, jusqu'à ce qu'il commence prendre couleur.

3 Ajouter les crevettes, le sucre, la sauce de poisson, le ketchup et le jus de citron vert en remuant et faire revenir encore 30 secondes.

4 Verser les œufs dans le wok et cuire quelques instants, jusqu'à ce qu'ils prennent. Ajouter les nouilles et les germes de soja et cuire encore 30 secondes.

5 Transférer le tout dans un plat de service et garnir de flocons de piment, d'oignons verts et de coriandre.

CONSEIL

Égouttez bien les nouilles avant de les ajouter au plat. Trop humides, elles compromettraient la texture du plat.

Nouilles de riz au tofu et aux champignons

Cette recette au tofu est une variante des préparations de nouilles thaïes classiques (voir page 134). Pour une recette végétarienne, supprimez la sauce de poisson thaïe.

4 personnes

INGRÉDIENTS

225 g de nouilles de riz
1 gousse d'ail, finement émincée
1 morceau de gingembre frais de 2 cm, haché
4 échalotes, finement émincées
70 g de tofu ferme, coupé en dés de 1 cm
80 g de champignons shiitake, émincés
2 cuil. à soupe de sauce de soja claire
1 cuil. à soupe de vinaigre de riz
1 cuil. à soupe de sauce de poisson thaïe
1 cuil. à soupe de beurre de cacahuètes
1 cuil. à café de sauce au piment
2 cuil. à soupe de cacahuètes grillées concassées
2 cuil. à soupe d'huile
feuilles de basilic ciselées, en accompagnement

1 Faire tremper les nouilles dans de l'eau chaude 15 minutes, ou selon les instructions figurant sur le paquet, et bien égoutter.

2 Chauffer l'huile dans un wok et faire revenir l'ail, le gingembre et les échalotes 1 à 2 minutes, jusqu'à ce que le mélange fonde et prenne couleur.

3 Ajouter les champignons et faire revenir 1 à 2 minutes. Ajouter le tofu en remuant et secouer le wok jusqu'à ce qu'il roussisse.

4 Mélanger la sauce de soja, le vinaigre de riz, la sauce de poisson, la sauce au piment, le beurre de cacahuètes et ajouter au contenu du wok.

5 Ajouter les nouilles et secouer le plat pour qu'elles s'imprègnent de la sauce. Parsemer de cacahuètes concassées et de feuilles de basilic, et servir très chaud.

CONSEIL

Pour plus de facilité, vous pouvez remplacer les champignons shiitake par une boîte de champignons de couche. Vous pouvez également utiliser des champignons shiitake en boîte, en les trempant et en les égouttant avant usage.

3

4

5

Galettes de nouilles à la mode thaïe

Servez ces galettes de nouilles en guise d'entrée originale, ou comme accompagnement pour vos plats de viandes.

4 personnes

INGRÉDIENTS

125 g de vermicelle de riz
2 oignons verts, finement émincés
1 tige de lemon-grass, en fines lanières
3 cuil. à soupe de noix de coco fraîche, coupée en lanières
sel et poivre
huile, pour la friture

ACCOMPAGNEMENT
115 g de germes de soja
1 petit oignon rouge, finement émincé
1 avocat, coupé en tranches fines
2 cuil. à soupe de jus de citron vert
2 cuil. à soupe de vinaigre de riz
1 cuil. à café de sauce au piment
piment rouge, en garniture

1 Casser le vermicelle en petits morceaux et faire tremper 4 minutes dans de l'eau chaude, ou selon les instructions figurant sur le paquet. Égoutter soigneusement et sécher sur du papier absorbant.

2 Mélanger les nouilles avec les oignons verts, le lemon-grass et la noix de coco.

3 Chauffer une petite quantité d'huile dans une poêle à fond épais jusqu'à ce qu'elle soit très chaude. Huiler un emporte-pièce d'environ 9 cm de diamètre, disposer dans la poêle et garnir à ras bord de nouilles, en appuyant légèrement avec le dos d'une cuillère.

4 Faire frire la galette 30 secondes, retirer l'emporte-pièce et cuire encore jusqu'à ce qu'elle soit dorée, en retournant une fois. Retirer du wok et égoutter sur du papier absorbant. Renouveler l'opération avec le reste des nouilles jusqu'à obtention d'une douzaine de galettes.

5 Pour servir, empiler trois galettes en intercalant les germes de soja, l'avocat et l'oignon. Mélanger le jus de citron vert avec le vinaigre de riz et la sauce au piment, et arroser les galettes de cette sauce juste avant de servir.

Nouilles à la nage

Peut-être serait-il plus correct d'appeler ces nouilles « soiffardes » parce que ce plat est supposé faire merveille contre les effets de l'ébriété.

4 personnes

INGRÉDIENTS

175 g de nouilles de riz
2 cuil. à soupe d'huile
1 gousse d'ail, hachée
2 petits piments verts, hachés
150 g de chair à saucisse ou de poulet haché
1 petit poivron vert, épépiné et finement haché
4 feuilles de lime kafir, en lanières
1 cuil. à soupe de sauce de soja épaisse
1 cuil. à soupe de sauce de soja claire
1 tomate, coupée en fins quartiers
2 cuil. à soupe de feuilles de basilic doux
1 petit oignon, finement émincé
1/2 cuil. à café de sucre

1 Faire tremper les nouilles 15 minutes dans de l'eau chaude, ou selon les instructions figurant sur le paquet, et égoutter soigneusement.

2 Chauffer l'huile dans un wok et faire revenir l'ail, les piments et l'oignon, 1 minute.

3 Ajouter le porc ou le poulet et faire revenir le tout 1 minute à feu vif. Ajouter le poivron et faire revenir encore 2 à 3 minutes.

4 Ajouter les feuilles de lime, les sauces de soja et le sucre. Verser les nouilles et la tomate et remuer pour bien faire chauffer tous les ingrédients.

5 Parsemer de feuilles de basilic et servir très chaud.

CONSEIL

Les feuilles de lime kafir fraîches se congèlent bien, vous pouvez conserver celles que vous n'utilisez pas au congélateur plus d'un mois en les plaçant ficelées dans un sac congélation. Elles seront prêtes à l'emploi.

1

3

4

Canard croustillant aux nouilles et au tamarin

Cette délicieuse recette riche en goût et nourrissante constitue un excellent repas. Vous pouvez accompagner le canard de légumes sautés ou d'une salade de concombres.

4 personnes

INGRÉDIENTS

3 magrets de canard, d'environ 400 g au total
2 gousses d'ail, hachées
1 cuil. à café 1/2 de pâte de piment
1 cuil. à soupe de miel
3 cuil. à soupe de sauce de soja épaisse
1/2 cuil. à café de poudre de cinq-épices
250 g de nouilles de riz
1 cuil. à café d'huile
1 cuil. à café d'huile de sésame
2 oignons verts, émincés
100 g de pois mange-tout
2 cuil. à soupe de jus de tamarin
graines de sésame, en garniture

1 Piquer la peau des magrets avec la pointe d'une fourchette et disposer dans un plat profond.

2 Mélanger l'ail, la pâte de piment, la sauce de soja, le miel et la poudre de cinq-épices, et verser sur le canard en retournant les magrets pour qu'ils en soient bien enrobés. Couvrir et laisser mariner au moins 1 heure au réfrigérateur.

3 Faire tremper les nouilles 15 minutes à l'eau chaude et égoutter soigneusement.

4 Retirer les magrets de canard de la marinade en les égouttant et cuire au gril 10 minutes à feu vif, en tournant de temps en temps, jusqu'à ce qu'ils soient bien dorés. Retirer du gril et couper en tranches épaisses.

5 Chauffer les huiles dans un wok et faire revenir les oignons verts et les mange-tout, 2 minutes. Arroser avec la marinade, le jus de tamarin et porter à ébullition.

6 Ajouter les tranches de canard et les nouilles en remuant pour bien faire chauffer les ingrédients et servir immédiatement.

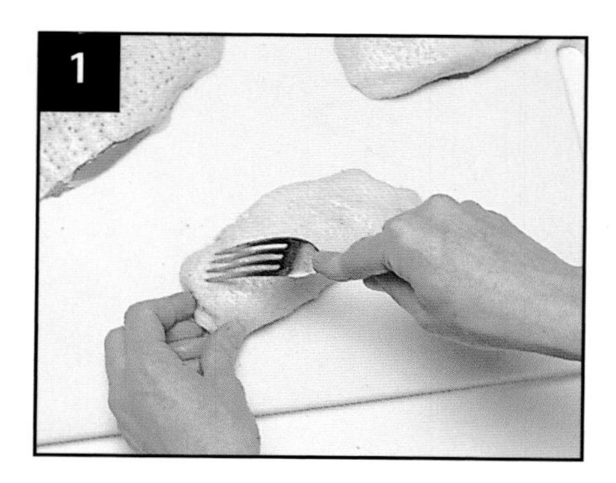
1

2

6

Nouilles de riz au poulet et au chou chinois

L'avantage de cette recette est que vous pouvez la réaliser avec très peu de matière grasse sans en perdre pour autant la saveur. Légère mais délicieuse, elle est très rapide à préparer.

4 personnes

INGRÉDIENTS

200 g de nouilles de riz
1 cuil. à soupe d'huile de tournesol
1 gousse d'ail, finement émincée
1 morceau de gingembre frais de 2 cm, haché
4 oignons verts, émincés
1 piment oiseau rouge, épépiné et émincé
300 g de filets de poulet, hachés
1 cuil. à soupe de sauce de soja
1 branche de céleri, émincée
1 carotte, en julienne
300 g de chou chinois, ciselé
4 cuil. à soupe de jus de citron vert
2 cuil. à soupe de sauce de poisson thaïe
2 foies de poulet, hachés

GARNITURE
2 cuil. à soupe de menthe fraîche hachée
rondelles d'ail au vinaigre
feuilles de menthe

1 Faire tremper les nouilles 15 minutes dans une terrine d'eau chaude, ou selon les instructions figurant sur le paquet, et égoutter soigneusement.

2 Chauffer l'huile dans un wok et faire revenir l'ail, le gingembre, les oignons verts et le piment, 1 minute. Ajouter le poulet et les foies de volaille en remuant et faire revenir le tout 2 à 3 minutes, jusqu'à ce qu'ils prennent couleur.

3 Ajouter le céleri et la carotte en remuant et faire revenir encore 2 minutes, jusqu'à ce que le mélange soit plus fondant. Ajouter le chou chinois, le jus de citron vert, la sauce de poisson et la sauce de soja.

4 Ajouter les nouilles et remuer pour bien faire chauffer les ingrédients, parsemer de menthe fraîche hachée et d'ail au vinaigre et servir immédiatement.

2

3

4

Nouilles de riz aux épinards

Ce plat constitue un délicieux déjeuner léger, réalisable en quelques minutes. Pour une recette végétarienne, supprimez les crevettes ou remplacez-les par des cacahuètes grillées.

4 personnes

INGRÉDIENTS

- 2 cuil. à soupe de crevette séchée (facultatif)
- 250 g de jeunes pousses d'épinards
- 1 cuil. à soupe d'huile d'arachide
- 2 gousses d'ail, finement émincées
- 2 cuil. à café de pâte de curry vert thaïe
- 1 cuil. à café de sucre
- 1 cuil. à soupe de sauce de soja claire
- 115 g de nouilles au riz

1 Faire tremper les nouilles 15 minutes dans de l'eau chaude, ou selon les instructions figurant sur le paquet, et égoutter soigneusement.

2 Faire tremper la crevette séchée dans l'eau chaude, 10 minutes, et bien égoutter. Laver avec soin les épinards, bien égoutter et retirer les tiges dures.

3 Chauffer l'huile dans un wok ou une sauteuse et faire revenir l'ail 1 minute. Incorporer la pâte de curry et faire revenir le tout 30 secondes. Ajouter la crevette et faire revenir encore 30 secondes.

4 Ajouter les épinards et faire revenir 1 à 2 minutes, jusqu'à ce qu'ils soient tout juste flétris.

5 Incorporer le sucre et la sauce de soja, ajouter les nouilles et secouer pour bien mélanger le tout. Servir chaud.

CONSEIL

Il est préférable d'utiliser de jeunes pousses d'épinards pour ce plat car elles sont très tendres et cuisent en quelques secondes. Si vous n'arrivez pas à vous en procurer, coupez les feuilles d'épinards en lanières, pour qu'elles cuisent plus rapidement.

2

3

4

Salade de nouilles à la noix de coco, au citron vert et au basilic

Une recette légère, rafraîchissante et très facile à réaliser, idéale pour vos repas d'été. Si vous préférez, vous pouvez remplacer la dinde par du poulet.

4 personnes

INGRÉDIENTS

225 g de nouilles aux œufs
2 cuil. à café d'huile de sésame
1 carotte
10 g de germes de soja
1/2 concombre
150 g de filets de dinde cuits, coupés en fines tranches
2 oignons verts, finement émincés
feuilles de basilic hachées et cacahuètes concassées, en garniture

SAUCE
5 cuil. à soupe de lait de coco
1 cuil. à soupe de sauce de soja claire
2 cuil. à café de sauce de poisson thaïe
3 cuil. à soupe de jus de citron vert
1 cuil. à café d'huile pimentée
1 cuil. à café de sucre
2 cuil. à soupe de coriandre hachée
2 cuil. à soupe de basilic doux haché

1 Cuire les nouilles 4 minutes à l'eau bouillante, ou selon les instructions figurant sur le paquet. Plonger dans une terrine d'eau froide pour les refroidir, égoutter et arroser d'huile de sésame.

2 À l'aide d'un économe, couper la carotte en fins rubans, faire blanchir 30 secondes dans de l'eau bouillante avec les germes de soja et plonger 30 secondes dans l'eau froide. À l'aide de l'économe, couper de fins rubans de concombre.

3 Mélanger la carotte, les germes de soja et le concombre avec la dinde, les oignons verts et les nouilles.

4 Verser tous les ingrédients de la sauce dans un bocal hermétique et agiter pour mélanger.

5 Verser la sauce sur la préparation aux nouilles et transférer le tout dans un plat de service. Parsemer de cacahuètes concassées et de feuilles de basilic, et servir froid.

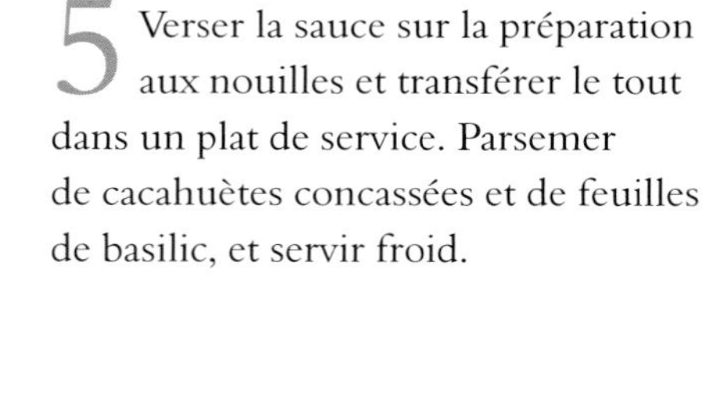

2

3

5

Riz sauté aux œufs

C'est l'un des nombreux plats de riz thaïs préparés avec des restes de riz. Les fleurs de piments et l'omelette roulée en spirales font l'originalité de ce plat également idéal pour accommoder toutes sortes de restes de légumes ou de viandes.

4 personnes

INGRÉDIENTS

2 cuil. à soupe d'huile d'arachide
1 œuf, battu avec 1 cuil. à café d'eau
1 gousse d'ail, finement émincée
1 petit oignon, finement émincé
250 g de riz long cuit
1 cuil. à soupe de pâte de curry rouge
55 g de petits pois, cuits
1 cuil. à soupe de sauce de poisson thaïe
2 cuil. à soupe de ketchup

GARNITURE
rondelles de concombre
piments rouges

1 Pour les fleurs de piment, tenir les piments par la tige et, à l'aide d'un petit couteau tranchant et pointu, pratiquer une entaille de la tige à l'extrémité. Faire pivoter d'un quart de tour et pratiquer de nouveau une entaille. Renouveler l'opération jusqu'à totaliser 4 entailles. Retirer les graines. Couper chaque « pétale » en deux ou en quatre jusqu'à obtention de 8 à 16 pétales et disposer dans de l'eau glacée.

2 Chauffer 1 cuillerée à café d'huile d'arachide dans un wok. Verser l'œuf battu avec l'eau, tout en inclinant le wok pour que l'œuf en tapisse le fond. Lorsque l'omelette est cuite et dorée, retirer du wok, rouler et réserver.

3 Faire revenir l'ail et l'oignon dans l'huile restante, 1 minute. Ajouter la pâte de curry, le riz et les petits pois.

4 Incorporer la sauce de poisson et le ketchup, retirer le wok du feu et verser le riz dans un plat de service.

5 Couper l'omelette en tranches, roulées en spirales, et en décorer le riz. Garnir de fleurs de piment et de rondelles de concombre.

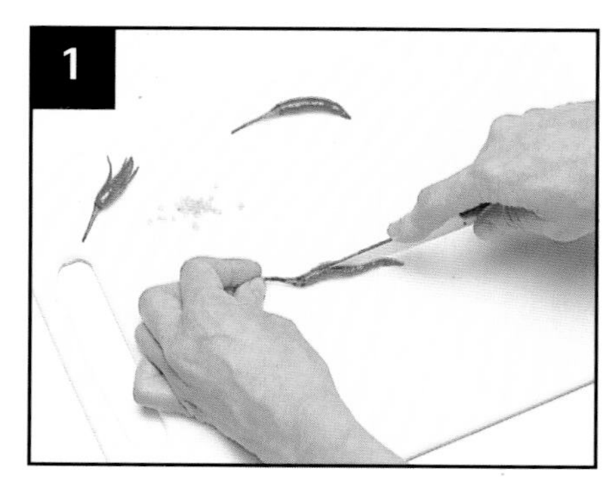
1

2

3

Riz au jasmin saveur citron et basilic

Le riz au jasmin est très parfumé et peut être servi sans aucun accompagnement. Dans cette recette, il est simplement aromatisé de citron et de basilic.

4 personnes

INGRÉDIENTS

400 g de riz au jasmin
800 ml d'eau
zeste d'un demi-citron, finement râpé
2 cuil. à soupe de feuilles de basilic doux frais hachées

1 Rincer plusieurs fois le riz à l'eau courante, jusqu'à ce que l'eau de rinçage soit claire. Porter l'eau à ébullition dans une grande casserole et verser le riz.

2 Porter de nouveau à ébullition, réduire le feu et couvrir. Cuire 12 minutes à feu doux.

3 Retirer la casserole du feu, couvrir et laisser reposer 10 minutes.

4 À l'aide d'une fourchette, dissocier les grains de riz et ajouter le zeste de citron. Servir le tout parsemé de feuilles de basilic hachées.

CONSEIL

Il est important de couvrir la casserole pendant la cuisson du riz, la vapeur le cuira de façon homogène. Les grains de riz seront alors légers et dissociés.

1

2

4

Riz aux fruits de mer

Une délicieuse entrée, à base de riz et de fruits de mer, aromatisée de saveurs typiquement thaïes. Pour un meilleur goût, réalisez vous-même le fumet de poisson ou utilisez un bouillon cube de qualité.

4 personnes

INGRÉDIENTS

12 moules dans leur coquille, nettoyées
2 litres de fumet de poisson
2 cuil. à soupe d'huile
1 gousse d'ail, hachée
1 cuil. à café de gingembre frais râpé
1 piment oiseau rouge, haché
2 oignons verts, émincés
225 g de riz long
2 petits calmars, nettoyés et coupés en anneaux
100 g de crevettes crues, décortiquées
100 g de filets de poisson à chair blanche ferme baudroie ou flétan, coupés en morceaux
2 cuil. à soupe de sauce de poisson thaïe
3 cuil. à soupe de coriandre fraîche hachée

1 Jeter les moules qui ont la coquille cassée ou ne se ferment pas au toucher. Chauffer 4 cuillerées à soupe de fumet dans une casserole, ajouter les moules et couvrir. Secouer la casserole jusqu'à ce que les moules s'ouvrent et retirer du feu et jeter celles qui sont restées fermées.

2 Chauffer l'huile dans un wok et faire revenir l'ail, le piment, le gingembre et les oignons verts 10 secondes. Ajouter le fumet restant et porter à ébullition.

3 Ajouter le riz, les calmars, les filets de poisson et les crevettes en remuant. Réduire le feu et laisser mijoter 15 minutes, jusqu'à ce que le riz soit cuit. Ajouter la sauce de poisson et les moules.

4 Verser dans de grands bols et parsemer de coriandre fraîche.

CONSEIL

Vous pouvez utiliser du riz déjà cuit qu'il vous reste d'un repas. Faites alors cuire les fruits de mer à feu doux et ajoutez le riz en fin de cuisson.

1

2

3

Riz à la noix de coco et à l'ananas

Préparer le riz dans le lait de coco le rend très nourrissant. Il sert d'ailleurs de base à de nombreuses recettes thaïes pour accompagner la viande, le poisson, les légumes ou les œufs.

4 personnes

INGRÉDIENTS

200 g de riz long
500 ml de lait de coco
2 tranches d'ananas frais, épluchées et coupées en dés
2 cuil. à soupe de copeaux de noix de coco
2 tiges de lemon-grass
200 ml d'eau
sauce au piment, en accompagnement

1 Laver le riz plusieurs fois à l'eau courante, jusqu'à ce que l'eau de rinçage soit claire, et mettre dans une grande casserole avec le lait de coco.

2 Mettre le lemon-grass sur un plan de travail, l'écraser à l'aide d'un maillet ou d'un rouleau à pâtisserie et incorporer au contenu de la casserole.

3 Ajouter l'eau et porter le tout à ébullition. Réduire le feu, couvrir et laisser mijoter 15 minutes à feu doux. Retirer du feu et dissocier le riz à l'aide d'une fourchette.

4 Retirer le lemon-grass et ajouter l'ananas en remuant. Parsemer de copeaux de noix de coco et servir accompagné de sauce au piment.

VARIANTE

Préparez une version sucrée en remplaçant le lemon-grass par du sucre de palme ou du sucre en poudre, que vous ajouterez au cours de la cuisson. Servez en dessert, accompagné de tranches d'ananas supplémentaires.

2

3

4

Légumes & Salades

Nombre de légumes, de salades et de pousses utilisées dans la cuisine thaïe sont originaires du pays et poussent souvent de façon sauvage. Il est donc difficile de préparer d'authentiques salades chez soi, car même les épiceries asiatiques les mieux achalandées ne peuvent proposer des produits aussi frais.

Vous pourrez donc avoir à remplacer les produits frais par des produits en boîte et certains des légumes thaïlandais par d'autres plus occidentaux, bien que nous ayons la chance de trouver un certain nombre de produits exotiques, comme le pak-choi ou le chou chinois, dans de nombreux endroits. Il est donc possible, au terme de quelques choix judicieux, de préparer des plats imaginatifs à base de légumes, comme le feraient les cuisiniers thaïs.

Une salade thaïe peut occuper le centre de la table de façon somptueuse. Les cuisiniers ont l'habitude d'y ajouter des tranches de viande cuite, du poisson ou des fruits de mer ou, pour les recettes végétariennes, des champignons ou du tofu.

L'assaisonnement est piquant et épicé avec le traditionnel équilibre entre les saveurs amères, acides, salées, sucrées et relevées. On parsème ensuite de cacahuètes pilées, de piment séché, de coriandre hachée, de menthe, ou de rondelles d'ail au vinaigre, et on décore de fleurs de piment, d'oignons verts ou d'autres légumes sculptés.

Légumes croquants au vinaigre

Ces légumes croquants sont souvent servis en accompagnement de plats de viandes ou de poissons. Les cuisiniers thaïs les coupent de manière très décorative, comme les fleurs de carotte par exemple, mais si vous manquez de temps, de fines tranches seront aussi du plus bel effet.

6 à 8 personnes

INGRÉDIENTS

1/2 petit chou-fleur
1/2 concombre
2 carottes
200 g de haricots verts
1/2 petit chou chinois
500 ml de vinaigre de riz
1 cuil. à soupe de sucre
1 cuil. à café de sel
3 gousses d'ail
3 échalotes
3 piments oiseau rouges
5 cuil. à soupe d'huile d'arachide

1 Parer le concombre, le chou-fleur et le chou chinois, équeuter les haricots et couper les légumes en petits morceaux. Si le temps le permet, sculpter les carottes en forme de fleurs.

2 Mettre le vinaigre, le sucre et le sel dans une grande casserole et porter à ébullition. Ajouter les légumes, réduire le feu et laisser mijoter 3 à 4 minutes, jusqu'à ce qu'ils soient juste tendres à l'extérieur et croquants à l'intérieur. Retirer la casserole du feu et laisser refroidir.

3 Éplucher l'ail et les échalotes, épépiner les piments et piler dans un mortier, jusqu'à obtention d'une pâte lisse.

4 Chauffer l'huile dans un wok et faire revenir la pâte à base d'ail 1 à 2 minutes à feu doux. Ajouter les légumes et le vinaigre, et cuire encore 2 minutes pour faire légèrement réduire le jus. Retirer du feu et laisser refroidir.

5 Servir froid ou conserver jusqu'à 2 semaines dans des bocaux placés au réfrigérateur.

CONSEIL

Pour confectionner des fleurs de carotte, épluchez le légume et, à l'aide d'un couteau tranchant, creusez de fins « canaux » le long de la carotte, à intervalles réguliers. Coupez le légume en rondelles, qui ressembleront alors à des fleurs.

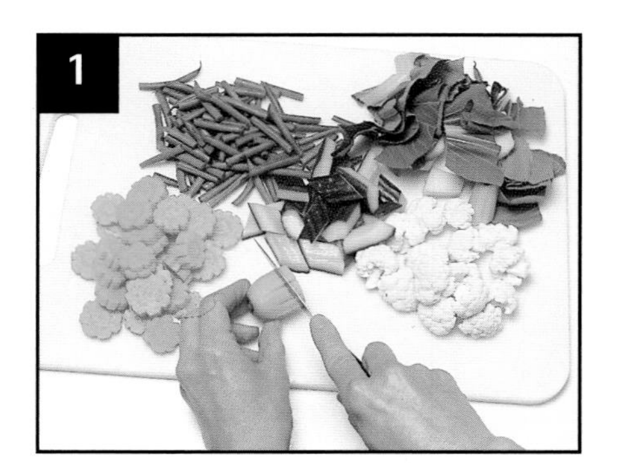
1

3

4

Sambal de piments et de noix de coco

Un sambal sucré-salé qui accompagnera à merveille un poisson grillé ou cuit au barbecue. Il peut aussi être frit dans du riz et des nouilles ou dans certains currys pour leur apporter une délicieuse saveur parfumée. Vous pouvez aussi y ajouter du piment si vous le souhaitez.

6 à 8 personnes

INGRÉDIENTS

- 1 petite noix de coco
- 1 tranche d'ananas frais, coupée en petits dés
- 1 petit oignon, finement émincé
- 1 cuil. à café de pâte de crevette
- 2 petits piments verts, épépinés et hachés
- 1 morceau de 5 cm de lemon-grass
- ½ cuil. à café de sel
- 1 cuil. à soupe de jus de citron vert
- 2 cuil. à soupe de coriandre fraîche hachée
- brins de coriandre, en garniture

1 À l'aide d'un tournevis, pratiquer 2 trous dans la noix de coco et en recueillir le lait. Briser l'enveloppe de la noix, détacher la chair de l'enveloppe et râper grossièrement dans une terrine.

2 Mélanger la noix de coco avec l'ananas, l'oignon, les piments et le lemon-grass.

3 Mélanger la pâte de crevette, le sel et le jus de citron vert, et incorporer au reste des ingrédients.

4 Ajouter la coriandre en remuant et garnir de brins de coriandre et servir dans un petit plat des service.

CONSEIL

Pour râper plus facilement la noix de coco, utilisez la râpe d'un robot de cuisine.

VARIANTE

Pour gagner du temps, ajoutez 1 cuillerée à café de pâte de curry vert dans une terrine de chair de noix de coco râpée et ajoutez des dés d'ananas et du jus de citron vert.

1

2

3

Légumes variés à la sauce aux cacahuètes

Un savoureux mélange coloré de légumes associé à une sauce aux cacahuètes délicatement relevée. À servir en accompagnement ou en plat principal.

4 personnes

INGRÉDIENTS

2 carottes, épluchées
1 petit cœur de chou-fleur, paré
2 petits cœurs de pak-choi
150 g de haricots verts, équeutés

2 cuil. à soupe d'huile
1 gousse d'ail, finement hachée
6 oignons verts, émincés
1 cuil. à café de pâte de piment

2 cuil. à soupe de sauce de soja
2 cuil. à soupe de vinaigre de riz
4 cuil. à soupe de beurre de cacahuètes
3 cuil. à soupe de lait de coco

1 Couper les carottes en fines rondelles et en biais. Couper le chou-fleur en fleurettes et les pieds en tronçons fins. Ciseler grossièrement le pak-choi et couper les haricots en tronçons de 2 cm.

2 Chauffer l'huile dans un wok et faire revenir l'ail et les oignons verts 1 minute. Incorporer la pâte de piment et cuire encore quelques secondes.

3 Ajouter les carottes et le chou-fleur, et faire revenir 2 à 3 minutes.

4 Ajouter le pak-choi et les haricots, et faire revenir encore 2 minutes. Ajouter la sauce de soja et le vinaigre de riz en remuant.

5 Mélanger le beurre de cacahuètes et le lait de coco, incorporer le mélange au contenu du wok et cuire encore 1 minute, en remuant. Servir immédiatement.

CONSEIL

Découper les légumes en morceaux de taille égale. Préparez-les tous en même temps avant de les cuire. Il est très important de tenir compte du temps de cuisson de chacun d'eux.

Curry rouge de haricots à la mode thaïe

Cette recette accompagnée d'une délicieuse sauce aux piments est une excellente idée pour servir des haricots frais et leur apporter une touche de couleur.

4 personnes

INGRÉDIENTS

400 g de haricots verts, équeutés
1 gousse d'ail, émincée
1 piment oiseau rouge, épépiné et haché
1/2 cuil. à café de paprika
1 tige de lemon-grass, finement émincé
2 cuil. à soupe de sauce de poisson thaïe
120 ml de lait de coco
1 cuil. à soupe d'huile de tournesol
2 oignons verts, émincés

1 Couper les haricots en tronçons de 5 cm, faire blanchir 2 minutes dans l'eau bouillante et égoutter.

2 Mettre le piment, l'ail, le paprika, le lemon-grass, le lait de coco et la sauce de poisson dans un robot de cuisine et mixer, jusqu'à obtention d'une pâte lisse.

3 Chauffer l'huile et faire revenir les oignons verts 1 minute à feu vif. Ajouter la pâte et porter à ébullition.

4 Laisser mijoter 3 à 4 minutes, jusqu'à ce que le tout réduise de moitié, ajouter les haricots et laisser mijoter encore 1 à 2 minutes, jusqu'à ce qu'ils soient tendres. Servir chaud.

CONSEIL

Remplacez les haricots verts par de jeunes haricots d'Espagne. Retirez les fils et coupez-les en biais en petits tronçons. Faites-les cuire comme indiqué pour qu'ils soient fondants.

2

3

4

Sauté de champignons au gingembre

Ce sauté végétarien rapide à préparer ressemble plutôt à un curry. Le lait de coco crémeux équilibre parfaitement les saveurs épicées et aillées.

4 personnes

INGRÉDIENTS

2 cuil. à soupe d'huile
3 gousses d'ail, hachées
1 cuil. à soupe de pâte de curry rouge
1/2 cuil. à café de curcuma
425 g de champignons de couche chinois, égouttés et coupés en deux
100 ml de lait de coco
1 morceau de gingembre frais de 2 cm, coupé en fines lanières
40 g de champignons noirs séchés, trempés, égouttés et émincés
1 cuil. à soupe de jus de citron
2 cuil. à café de sucre
1 cuil. à soupe de sauce de soja claire
1/2 cuil. à café de sel
8 tomates cerises, coupées en deux
feuilles de coriandre, en garniture
riz parfumé, en accompagnement

1 Chauffer l'huile et faire revenir l'ail 1 minute, en remuant. Ajouter la pâte de curry et le curcuma, et cuire encore 30 secondes.

2 Ajouter les champignons chinois et le gingembre, et faire revenir 2 minutes. Ajouter le lait de coco et porter à ébullition.

3 Ajouter les champignons noirs, le jus de citron, la sauce de soja, le sucre et le sel en remuant et chauffer. Incorporer les tomates en remuant et bien faire chauffer.

4 Garnir de feuilles de coriandre, accompagner de riz parfumé et servir très chaud.

CONSEIL

Vous pouvez utiliser d'autres variétés de champignons. Essayez de marier des pleurotes avec des huîtres, ou utilisez de simples champignons de Paris, qui se révéleront succulents ainsi préparés.

1

2

3

Champignons épicés à la mode thaïe

Une recette originale qui fera un parfait repas végétarien. Servez les champignons accompagnés d'une salade rafraîchissante et colorée.

4 personnes

INGRÉDIENTS

8 gros champignons plats
3 cuil. à soupe d'huile de tournesol
2 cuil. à soupe de sauce de soja claire
1 gousse d'ail, hachée
3 oignons verts, émincés
8 mini-épis de maïs, émincés
1 morceau de 2 cm de galanga frais ou de gingembre, râpé
1 cuil. à soupe de pâte de curry verte thaïe
125 g de germes de soja
100 g de tofu ferme, coupé en dés
2 cuil. à café de graines de sésame, grillées
poivrons rouges et concombre émincés, en garniture

1 Couper le pied des champignons et disposer les chapeaux sur une feuille de papier sulfurisé. Mélanger 2 cuillerées à soupe d'huile avec 1 cuillerée à soupe de sauce de soja claire et en enduire les chapeaux.

2 Passer les champignons au gril préchauffé, jusqu'à ce qu'ils soient dorés et tendres, en retournant une fois.

3 Couper les pieds en petits morceaux, chauffer l'huile restante et faire revenir les pieds 1 minute avec l'ail et le galanga ou le gingembre.

4 Incorporer la pâte de curry, les épis de maïs et les oignons verts, et faire revenir le tout 1 minute. Ajouter les germes de soja et faire revenir la préparation encore 1 minute.

5 Incorporer le tofu et la sauce de soja restante, chauffer en remuant et verser la farce obtenue dans les chapeaux.

6 Parsemer de graines de sésame, garnir de poivrons rouges et de concombre émincés, et servir immédiatement.

CONSEIL

Le gingembre et le galanga se conservent au congélateur plusieurs semaines, pelés, hachés et prêts à l'emploi ou entiers. Décongelez-les ou râpez ce dont vous avez besoin.

1

3

5

Légumes chinois à la sauce aux haricots jaune

Vous pouvez servir ce savoureux mélange de légumes avec des pâtes en guise de repas végétarien ou pour accompagner vos plats de viandes.

4 personnes

INGRÉDIENTS

1 aubergine
sel
2 cuil. à soupe d'huile
3 gousses d'ail, hachées
4 oignons verts, émincés
1 petit poivron rouge, épépiné et finement émincé
4 mini-épis de maïs, coupés en deux dans la longueur
80 g de pois mange-tout
200 g de légumes chinois à la moutarde, grossièrement hachés
425 g de champignons de couche chinois, égouttés
125 g de germes de soja
2 cuil. à soupe de vinaigre de riz
2 cuil. à soupe de sauce aux haricots jaune
2 cuil. à soupe de sauce de soja épaisse
1 cuil. à café de sauce au piment
1 cuil. à café de sucre
125 ml de bouillon de poulet ou de légumes
1 cuil. à café de maïzena
2 cuil. à café d'eau

1 Éplucher l'aubergine et couper en julienne de 5 cm. Mettre dans une passoire, saler et laisser dégorger 30 minutes. Rincer à l'eau courante et sécher sur du papier absorbant.

2 Chauffer l'huile dans un wok et faire revenir l'ail, les oignons verts et le poivron 1 minute à feu vif. Ajouter les morceaux d'aubergine en remuant et faire revenir encore 1 minute, jusqu'à ce qu'ils soient tendres.

3 Ajouter le maïs et les pois mange-tout, et faire revenir 1 minute. Ajouter les légumes à la moutarde, les champignons et les germes de soja, et faire revenir encore 30 secondes.

4 Mélanger le vinaigre de riz avec la sauce de haricots jaune, la sauce de soja, la sauce au piment et le sucre, et ajouter au contenu du wok avec le bouillon. Porter à ébullition en remuant.

5 Délayer la maïzena dans l'eau, jusqu'à obtention d'une pâte homogène, incorporer la pâte obtenue au contenu du wok et cuire encore 1 minute. Servir immédiatement.

Pommes de terre à la crème de coco

Facile et rapide à réaliser, cette recette colorée est une façon originale de servir des pommes de terre. Servez-les avec une viande en sauce épicée accompagnée d'une salade.

4 personnes

INGRÉDIENTS

600 g de pommes de terre
1 oignon, finement émincé
2 piments oiseau rouges, finement hachés
1/2 cuil. à café de sel
1/2 cuil. à café de poivre noir moulu
350 ml de bouillon de poulet ou de légumes
coriandre ou basilic frais hachés, en garniture
80 ml de crème de coco

1 Éplucher les pommes de terre et couper en cubes de 2 cm.

2 Mettre les pommes de terre, l'oignon, les piments, le sel, le poivre et la crème de coco dans une casserole et mouiller avec le bouillon.

3 Porter à ébullition en remuant, réduire légèrement le feu et laisser mijoter, en remuant de temps en temps, jusqu'à ce que les pommes de terre soient tendres.

4 Rectifier l'assaisonnement selon son goût, parsemer de coriandre ou de basilic hachés et servir très chaud.

CONSEIL

Si vous utilisez des pommes de terre nouvelles ou à peau fine, lavez-les sous l'eau en les frottant pour retirer la terre et faites-les cuire avec la peau. Cela renforcera les qualités nutritives du plat et réduira le temps de préparation. Vous pouvez également les faire cuire entières.

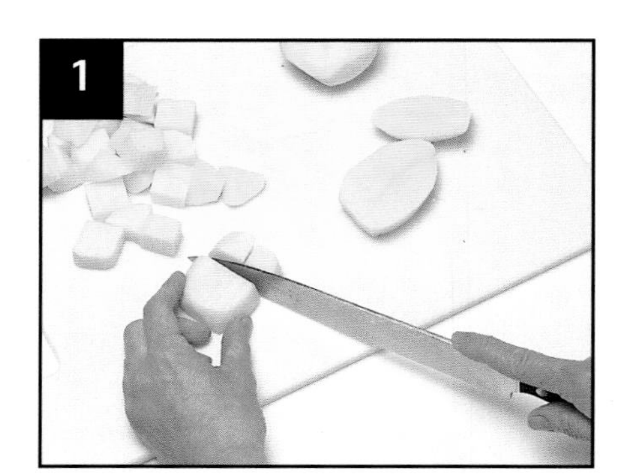

Sauté de brocolis à la sauce d'huître

La sauce d'huître apporte à cette recette une saveur délicieusement salée qui se marie parfaitement avec les légumes. Vous pouvez remplacer les brocolis par des asperges selon la saison.

4 personnes

INGRÉDIENTS

400 g de brocoli
1 cuil. à soupe d'huile d'arachide
2 échalotes, finement hachées
1 gousse d'ail, finement hachée
1 cuil. à soupe de vinaigre de riz ou de xérès
1/4 de cuil. à café de poivre noir moulu
1 cuil. à café d'huile pimentée
5 cuil. à soupe de sauce d'huître

1 Parer le brocoli, couper en fleurettes et faire blanchir 30 secondes dans l'eau bouillante. Égoutter soigneusement.

2 Chauffer l'huile dans un wok et faire revenir l'ail et les échalotes 1 à 2 minutes, jusqu'à ce que le mélange soit doré.

3 Ajouter le brocoli et faire revenir 2 minutes. Ajouter le vinaigre de riz et la sauce d'huître, et cuire encore 1 minute en remuant.

4 Ajouter le poivre et arroser d'un filet d'huile pimentée juste avant de servir.

CONSEIL

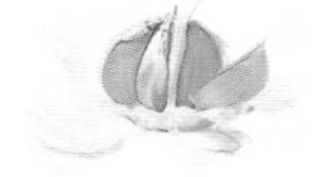

Pour faire de l'huile pimentée, placez des piments rouges et verts dans un récipient en verre et remplissez-le d'huile d'olive ou d'huile légère. Couvrez et laissez mariner 3 semaines minimum avant utilisation.

Poivrons grillés épicés à la mode thaïe

Un plat principal coloré qui sera, en salade, l'accompagnement idéal de vos soirées barbecue. Pour laisser le temps aux poivrons de s'imprégner des différents parfums, préparez-les à l'avance.

4 personnes

INGRÉDIENTS

2 poivrons rouges
2 poivrons jaunes
2 poivrons verts
1 cuil. à soupe de sauce de poisson thaïe
2 piments oiseau rouges, épépinés et hachés
1 tige de lemon-grass, finement émincée
4 cuil. à soupe de jus de citron vert
2 cuil. à soupe de sucre de palme ou de sucre roux

1 Faire griller les poivrons au gril préchauffé, au barbecue ou au four, en retournant de temps en temps, jusqu'à ce que la peau soit grillée. Laisser tiédir et retirer la peau. Couper en deux retirer les graines et le cœur.

2 Couper les poivrons en tranches épaisses et disposer sur un grand plat de service.

3 Mettre les piments, le lemon-grass, le jus de citron vert, le sucre et la sauce de poisson dans un bocal hermétique et secouer pour bien mélanger le tout.

4 Verser l'assaisonnement sur les poivrons. Laisser refroidir complètement, couvrir de film alimentaire et mettre au réfrigérateur au moins 1 heure avant de servir.

CONSEIL

Les saveurs se marieront mieux si les poivrons sont encore tièdes lorsque vous versez l'assaisonnement. Préparez-le pendant que les poivrons cuisent afin qu'il soit prêt à l'emploi.

1

2
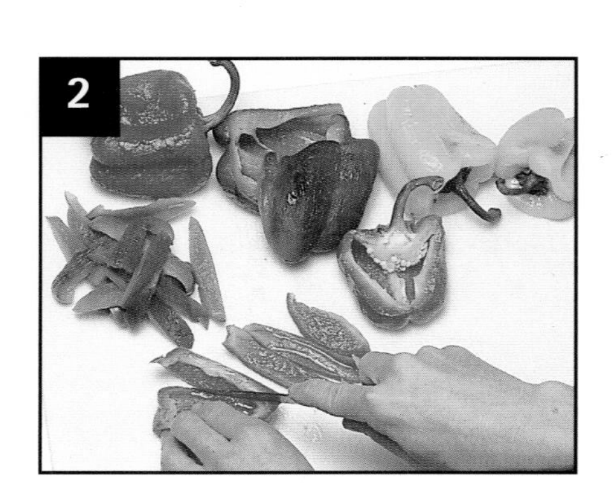

4

Pak-choi au crabe

Le pak-choi, aussi appelé bok-choi, apporte une saveur délicate et fraîche, et une texture croustillante révélée à la cuisson. Il sera délicieux cuisiné au wok.

4 personnes

INGRÉDIENTS

2 cœurs de pak-choi vert, d'environ 250 g au total
2 cuil. à soupe d'huile
2 cuil. à soupe de sauce d'huître
1 gousse d'ail, finement émincée
100 g de tomates cerises, coupées en deux
sel et poivre
170 g de chair de crabe blanche en boîte
sel et poivre

1 Parer le pak-choi et couper en tronçons de 2,5 cm.

2 Chauffer l'huile dans un wok et faire revenir l'ail 1 minute à feu vif.

3 Ajouter le pak-choi et faire revenir 2 à 3 minutes, jusqu'à ce que les feuilles flétrissent et que les tiges soient encore croquantes.

4 Ajouter la sauce d'huître et les tomates, et faire revenir encore 1 minute. Incorporer la chair de crabe, saler et poivrer. Chauffer le tout et servir.

VARIANTE

Pour une version végétarienne, supprimez la chair de crabe et remplacez la sauce d'huître par 2 cuillerées à soupe de sauce de soja.

VARIANTE

Si vous n'avez pas pu vous procurer de pak-choi, le chou s'avérera être une excellente alternative.

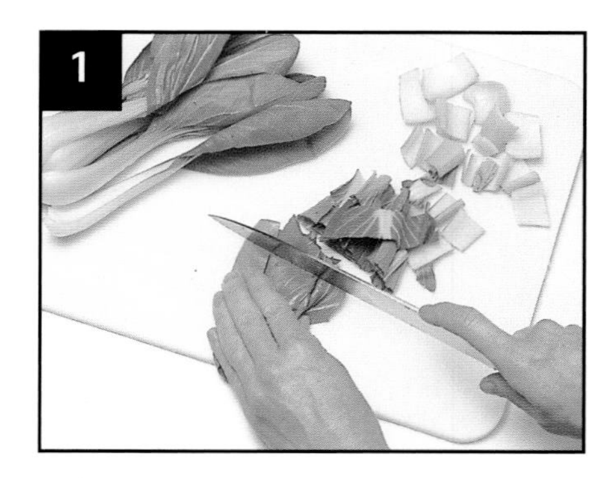

Curry aux noix de cajou épicé

Vous pouvez servir cette délicieuse recette originale accompagnée de légumes, de viande en sauce et de riz ou la servir telle quelle en guise de repas végétarien.

4 personnes

INGRÉDIENTS

200 g de noix de cajou non-salées
1 cuil. à café de graines de coriandre
1 cuil. à café de graines de cumin
2 graines de cardamome, écrasées
1 cuil. à soupe d'huile de tournesol
1 oignon, finement émincé
1 gousse d'ail, hachée
1 petit piment vert, épépiné et haché
1 bâton de cannelle
$^{1}/_{2}$ de cuil. à café de curcuma en poudre
4 cuil. à soupe de crème de coco
300 ml de bouillon de légumes chaud
3 feuilles de lime kafir, ciselées
sel et poivre
riz au jasmin, en accompagnement

1 Faire tremper les noix de cajou toute une nuit dans l'eau froide et égoutter soigneusement. Piler les graines de cumin, de coriandre et de cardamome dans un mortier.

2 Chauffer l'huile et faire revenir l'oignon et l'ail 2 à 3 minutes, jusqu'à ce qu'ils soient tendres et sans laisser dorer. Ajouter le piment, les épices pilées, le bâton de cannelle, le curcuma et faire revenir encore 1 minute.

3 Ajouter la crème de coco et le bouillon chaud. Porter à ébullition et ajouter les noix de cajou et les feuilles de lime.

4 Couvrir la poêle, réduire le feu et laisser mijoter 20 minutes environ. Servir accompagné de riz au jasmin.

CONSEIL

Les épices donnent le meilleur d'elles-mêmes lorsqu'elles sont fraîchement pilées mais vous pouvez utiliser des épices en poudre si vous préférez.

1

2

3

Curry de pommes de terre et d'épinards

Les pommes de terre ne sont pas souvent utilisées dans la cuisine thaïe, mais cette délicieuse recette est l'exception qui confirme la règle ! Une excellente idée d'accompagnement pour tous vos plats.

4 personnes

INGRÉDIENTS

2 gousses d'ail, finement émincées
1 morceau de 3 cm de galanga, finement râpé
1 tige de lemon-grass, finement hachée
1 cuil. à café de graines de coriandre
3 cuil. à soupe d'huile
2 cuil. à café de pâte de curry rouge
200 ml de lait de coco
250 g de pommes de terre, épluchées et coupées en cubes de 2 cm
1/2 cuil. à café de curcuma
100 ml de bouillon de légumes
200 g de pousses d'épinards
1 petit oignon, coupé en fines rondelles

1 Piler le galanga, le lemon-grass, l'ail et les graines de coriandre dans un mortier, jusqu'à obtention d'une pâte lisse.

2 Chauffer 2 cuillerées à soupe d'huile dans un wok et ajouter la pâte à base de galanga et cuire 30 secondes. Ajouter la pâte de curry, le curcuma et le lait de coco, et porter à ébullition.

3 Ajouter les pommes de terre et le bouillon. Porter à ébullition, réduire le feu et laisser mijoter 10 à 12 minutes, jusqu'à ce que les pommes de terre soient presque tendres.

4 Ajouter les épinards et cuire jusqu'à ce qu'ils soient flétris.

5 Cuire les oignons dans l'huile jusqu'à ce qu'ils soient dorés et croustillants, disposer sur les légumes et servir.

CONSEIL

Choisissez une variété de pomme de terre ferme, qui tienne à la cuisson, plutôt qu'une variété farineuse qui se déferait facilement.

2

3

4

Croquettes de patate douce à la sauce tomate au soja

De délicieuses petites croquettes de patates douces à servir très chaud accompagné d'une savoureuse sauce tomate fraîche.

4 personnes

INGRÉDIENTS

2 patates douces, d'environ 500 g au total
2 gousses d'ail, hachées
1 petit piment vert, haché
2 brins de coriandre, hachés
1 cuil. à soupe de sauce de soja épaisse
farine
huile, pour la friture
graines de sésame, pour parsemer

SAUCE TOMATE AU SOJA
2 cuil. à café d'huile
1 gousse d'ail, finement émincée
1 morceau de gingembre frais de 2 cm, finement râpé
3 tomates, pelées et concassées
2 cuil. à soupe de sauce de soja épaisse
1 cuil. à soupe de jus de citron vert
2 cuil. à soupe de coriandre fraîche hachée

1 Pour la sauce tomate, chauffer l'huile dans un wok et faire revenir l'ail et le gingembre 1 minute. Ajouter les tomates et faire revenir encore 2 minutes. Retirer du feu, incorporer la sauce de soja, le jus de citron vert et la coriandre, et réserver au chaud.

2 Éplucher les patates douces et râper finement ou mixer dans un robot de cuisine. Piler le piment, l'ail et la coriandre dans un mortier, jusqu'à obtention d'une pâte homogène. Ajouter la sauce de soja et remuer.

3 Diviser la préparation obtenue en 12 portions égales et façonner de petites croquettes avec les mains. Fariner uniformément chacune d'entres elles.

4 Chauffer un petit fond d'huile dans une grande poêle, ajouter les croquettes de patate douce et cuire à feu vif, jusqu'à ce qu'elles soient dorées, en retournant une fois. Égoutter sur du papier absorbant et parsemer de graines de sésame. Servir les croquettes chaudes, avec une cuillerée de sauce tomate.

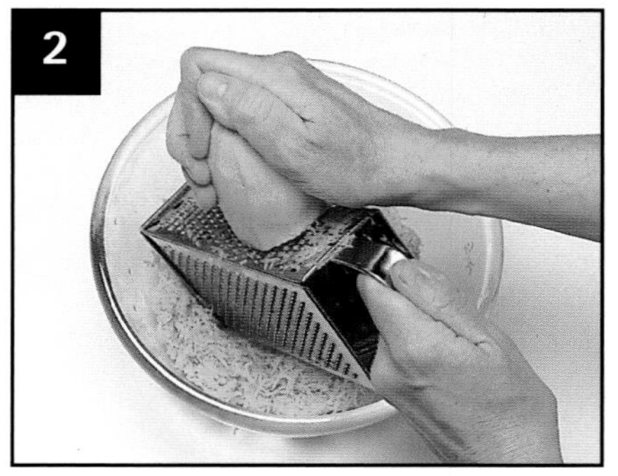

4

Beignets de maïs à la mode thaïe

Ces succulents petits beignets peuvent être servis en accompagnement ou en plat principal agrémentés d'une cuillerée de sauce au piment et d'un filet de jus de citron vert.

4 personnes

INGRÉDIENTS

55 g de farine
1 gros œuf
2 cuil. à café de pâte de curry verte thaïe
5 cuil. à soupe de lait de coco
400 g de grains de maïs en boîte ou surgelés
4 oignons verts, finement émincés
1 cuil. à soupe de coriandre fraîche hachée
1 cuil. à soupe de basilic frais haché
sel et poivre
huile, pour la friture

ACCOMPAGNEMENT
quartiers de citron vert
condiment au piment

1 Mettre la farine, l'œuf, la pâte de curry, le lait de coco et la moitié du maïs dans un robot de cuisine et mixer jusqu'à obtention d'une pâte épaisse.

2 Incorporer les oignons verts avec le maïs restant, la coriandre et le basilic, saler et poivrer.

3 Chauffer un peu d'huile dans une grande poêle à fond épais, déposer de généreuses cuillerées de pâte et cuire 2 à 3 minutes, jusqu'à ce qu'elles soient dorées.

4 Retourner et cuire 2 à 3 minutes de l'autre côté. Cuire 12 à 16 beignets, en plusieurs fournées, en réservant ceux qui sont déjà cuits au chaud, pendant la cuisson des suivants.

5 Servir avec des quartiers de citron vert et du condiment au piment.

CONSEIL

Utilisez des grains de maïs frais plutôt qu'en boîte ou surgelés, détachez-les de l'épis à l'aide d'une fourchette et faites-les cuire 4 à 5 minutes dans l'eau bouillante. Égouttez-les bien avant utilisation.

2

3

4

Beignets de légumes épicés à la sauce au piment douce

Ces beignets épicés d'influence indienne se rapprochent des pakoras qui sont des beignets de légumes. Ils peuvent être servis en plat principal ou en guise d'accompagnement et sont délicieux agrémentés de sauce au piment douce.

4 à 6 personnes

INGRÉDIENTS

150 g de farine
1 cuil. à café coriandre en poudre
1 cuil. à café de cumin en poudre
1 cuil. à café de curcuma
1 cuil. à café de sel
1/2 cuil. à café de poivre noir moulu
2 gousses d'ail, finement émincées
1 morceau de gingembre frais de 3 cm, coupé en morceaux
2 petits piments verts, hachés
1 cuil. à soupe de coriandre fraîche hachée
environ 225 ml d'eau
1 oignon, émincé
1 pomme de terre, grossièrement râpée
80 g de maïs
1 petite aubergine, coupée en dés
125 g de brocoli chinois, coupé en tronçons
huile de coco, pour la friture

SAUCE AU PIMENT DOUCE
2 piments oiseau rouges, finement hachés
4 cuil. à soupe de sucre
4 cuil. à soupe de vinaigre de riz
1 cuil. à soupe de sauce de soja claire

1 Pour la sauce, mélanger tous les ingrédients, jusqu'à ce que le sucre soit dissous, couvrir et réserver.

2 Pour les beignets, mettre la farine dans une terrine, ajouter le sel, la coriandre moulue, le cumin, le curcuma et le poivre, et mélanger.

Incorporer l'ail, le gingembre, les piments et la coriandre hachée avec juste assez d'eau pour obtenir une pâte épaisse.

3 Ajouter l'oignon, la pomme de terre, le maïs, l'aubergine et le brocoli à la pâte et bien mélanger pour que les légumes soient répartis uniformément.

4 Chauffer l'huile à 200 °C dans un wok, disposer quelques cuillerées à soupe de pâte et faire frire, jusqu'à ce qu'elles soient croustillantes et bien dorées, en retournant une fois.

5 Cuire en plusieurs fois si nécessaire, en réservant les beignets au chaud dans le four. Égoutter soigneusement sur du papier absorbant et servir accompagné de la sauce au piment.

Omelette farcie aux champignons et à l'aubergine

En Thaïlande, les recettes aux œufs sont dégustées en plat principal ou en guise d'en-cas, selon les heures de la journée.

1 à 2 personnes

INGRÉDIENTS

3 cuil. à soupe d'huile
1 gousse d'ail, finement hachée
1 petit oignon, finement haché
1 petite aubergine, coupée en dés
½ petit poivron vert, épépiné et haché
1 gros champignon noir séché, trempé, égoutté et émincé
1 tomate, coupée en dés
1 cuil. à soupe de sauce de soja claire
½ cuil. à café de sucre
¼ de cuil. à café de poivre noir moulu
2 gros œufs
feuilles de salade et tranches de tomates et de concombre, en garniture

1 Chauffer la moitié de l'huile dans un wok et faire revenir l'ail 30 secondes à feu vif. Ajouter l'oignon et l'aubergine, et cuire jusqu'à ce que le mélange soit doré.

2 Incorporer le poivron et faire revenir encore 1 minute. Ajouter le champignon noir, la tomate, la sauce de soja, le sucre et le poivre. Retirer le wok du feu et réserver au chaud.

3 Battre les œufs, chauffer l'huile restante en la répartissant bien et verser les œufs de sorte qu'ils couvrent le fond de la poêle.

4 Quand les œufs sont cuits, mettre la farce au centre de l'omelette et replier les bords pour lui donner une forme carrée.

5 Faire glisser délicatement l'omelette dans un plat chaud, garnir de salade, de tomates et de concombre, et servir immédiatement.

CONSEIL

Faire chauffer l'huile dans un wok préchauffé avant d'y verser les œufs évite que les aliments n'attachent à la poêle.

Tofu croustillant à la sauce de soja

D'appétissant cubes de tofu dorés associés aux couleurs des légumes et relevés d'une sauce pimentée font de cette recette un accompagnement pour tous vos plats.

4 personnes

INGRÉDIENTS

300 g de tofu ferme
2 cuil. à soupe d'huile
1 gousse d'ail, émincée
1/2 poivron vert, épépiné et coupé en julienne
1 piment oiseau rouge, épépiné et haché
1 carotte, coupée en julienne
2 cuil. à soupe de sauce de soja
1 cuil. à soupe de jus de citron vert
1 cuil. à soupe de sauce de poisson thaïe
1 cuil. à soupe de sucre roux
ail émincé au vinaigre, en accompagnement (facultatif)

1 Égoutter le tofu, sécher sur du papier absorbant et couper en cubes de 2 cm.

2 Chauffer l'huile dans un wok et faire revenir l'ail 1 minute. Retirer l'ail du wok, ajouter le tofu et faire frire en remuant, jusqu'à ce que toutes les faces soient bien dorées.

3 Retirer le tofu, égoutter et réserver au chaud. Ajouter la carotte et le poivron dans le wok et faire revenir 1 minute.

4 Disposer le tofu au centre d'un plat de service et répartir la carotte et les poivrons autour.

5 Mélanger le piment, la sauce de soja, le jus de citron vert, la sauce de poisson et le sucre dans une terrine, jusqu'à ce que le sucre soit dissous. Verser la sauce sur le tofu, garnir éventuellement d'ail au vinaigre et servir immédiatement.

CONSEIL

Pour cette recette, il est impératif d'utiliser du tofu ferme. En effet, la variété la plus tendre ne pourrait pas conserver sa forme lors de la cuisson. Elle est généralement réservée aux soupes.

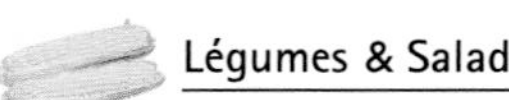

Salade de concombre

Cette salade rafraîchissante sera un excellent accompagnement pour les poissons grillés épicés ainsi que pour les plats de viande.

4 personnes

INGRÉDIENTS

1 concombre
sel et poivre
1 petit oignon rouge
1 gousse d'ail, hachée
1/2 cuil. à café de pâte de piment
2 cuil. à café de sauce de poisson thaïe
1 cuil. à soupe de jus de citron vert
1 cuil. à café d'huile de sésame

1 Éplucher le concombre, râper la chair et mettre dans une passoire. Saupoudrer d'une cuillerée à café de sel, laisser dégorger 20 minutes et jeter le jus.

2 Peler l'oignon, émincer finement et mélanger avec le concombre. Répartir le tout dans 4 bols ou mettre dans un saladier.

3 Mélanger l'ail, la pâte de piment, la sauce de poisson, le jus de citron vert et l'huile de sésame, et verser le tout sur la salade. Couvrir de film alimentaire, mettre au réfrigérateur et servir.

VARIANTE

Pour changer, vous pouvez couper le concombre en petits dés, le saler et le faire dégorger. Mélanger aux oignons et arroser d'assaisonnement.

CONSEIL

Assaisonnée, cette salade se conserve 1 à 2 jours au réfrigérateur mais elle est meilleure consommée le jour même.

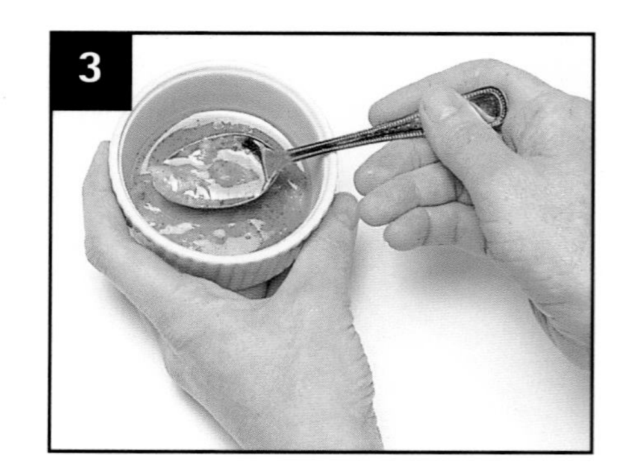

Salade verte à la mode thaïe

Une salade originale idéale pour accompagner les recettes typiquement thaïlandaises de viande ou de poisson grillés. Ajoutez la sauce juste avant de servir pour conserver tout le croquant de la salade.

4 à 6 personnes

INGRÉDIENTS

1 petit cœur de laitue romaine
1 botte d'oignons verts
1/2 concombre
4 cuil. à soupe de noix de coco fraîche en copeaux, grillées

ASSAISONNEMENT
4 cuil. à soupe de jus de citron vert
2 cuil. à soupe de sauce de poisson thaïe
1 petit piment oiseau, finement haché
1 cuil. à café de sucre
1 gousse d'ail, hachée
2 cuil. à soupe de coriandre fraîche hachée
1 cuil. à soupe de menthe fraîche hachée

1 Ciseler les feuilles de laitue et disposer dans un grand saladier.

2 Peler les oignons verts, couper en biais en tronçons et ajouter à la salade.

3 À l'aide d'un économe, couper le concombre dans la longueur en fines lanières et incorporer à la salade.

4 Mettre tous les ingrédients de l'assaisonnement dans un bocal hermétique et secouer pour bien mélanger le tout.

5 Verser l'assaisonnement sur la salade en remuant, parsemer de noix de coco et mélanger de nouveau avant de servir.

CONSEIL

Cette salade convient bien aux pique-niques. Pour faciliter le transport, placez les légumes dans un récipient en plastique ou un saladier incassable, et mettez le récipient de sauce au milieu. Refermez avec le couvercle ou du film alimentaire. La salade restera fraîche et vous éviterez des dégâts en cas de fuite du récipient de sauce.

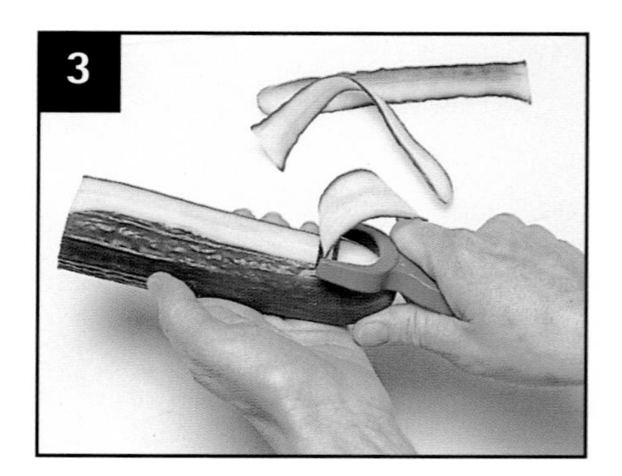

Salade d'aubergines grillées au sésame

La culture des aubergines, particulièrement populaires en Thaïlande, est très répandue en Asie du Sud-Est. Cette recette est idéale en entrée ou pour accompagner vos plats de viande ou de poisson.

4 personnes

INGRÉDIENTS

8 mini-aubergines
sel
1 cuil. à soupe de sauce de soja
1 cuil. à soupe de sauce de poisson thaïe
1 gousse d'ail, finement émincée
2 cuil. à café d'huile pimentée
1 piment oiseau rouge, épépiné et émincé
1 cuil. à soupe d'huile de tournesol
1 cuil. à café d'huile de sésame
1 cuil. à soupe de jus de citron vert
1 cuil. à café de sucre roux
1 cuil. à soupe de menthe fraîche hachée
1 cuil. à soupe de graines de sésame grillées
feuilles de menthe, en garniture

1 Couper les aubergines dans la longueur en tranches fines, en arrêtant la coupe à 2,5 cm de l'extrémité. Mettre les aubergines dans une passoire, saler et laisser dégorger environ 30 minutes. Rincer à l'eau courante et sécher sur du papier absorbant.

2 Mélanger l'huile pimentée avec la sauce de soja et la sauce de poisson, et en enduire les aubergines. Cuire 6 à 8 minutes au gril ou au barbecue, en retournant de temps en temps et en arrosant d'assaisonnement, jusqu'à ce qu'elles soient tendres et bien dorées. Disposer sur un plat de service.

3 Chauffer l'huile de tournesol dans un wok ou une sauteuse et faire blondir l'ail et le piment 1 à 2 minutes. Retirer du feu et ajouter l'huile de sésame, le jus de citron vert, le sucre roux et éventuellement l'assaisonnement restant.

4 Ajouter la menthe hachée au mélange et verser la sauce tiède sur les aubergines.

5 Laisser mariner 20 minutes et parsemer de graines de sésame grillées. Garnir de feuilles de menthe et servir.

Coupelles de laitue asiatiques

Une salade croquante accompagnée d'une savoureuse sauce à la noix de coco et aux cacahuètes servie dans des feuilles de laitue.

4 personnes

INGRÉDIENTS

8 feuilles de laitue romaine ou de laitue croquante
2 carottes
100 g de mini-épis de maïs
2 oignons verts
2 cuil. à soupe de cacahuètes grillées concassées
2 branches de céleri
100 g de germes de soja

ASSAISONNEMENT
2 cuil. à soupe de beurre de cacahuètes
3 cuil. à soupe de jus de citron vert
3 cuil. à soupe de lait de coco
2 cuil. à soupe de sauce de poisson thaïe
1 cuil. à café de sucre
1 cuil. à café de gingembre frais râpé
1/4 de cuil. à café de pâte de curry rouge thaïe

1 Laver et parer les feuilles de laitue entières et disposer sur un plat de service ou sur des assiettes.

2 Éplucher les carottes et le céleri, et couper en fine julienne. Parer le maïs et les oignons, et couper en biais en rondelles.

3 Mélanger les légumes avec les germes de soja et diviser cette préparation en autant de parts que de feuilles de salade préparées.

4 Pour l'assaisonnement, mettre tous les ingrédients dans un bocal hermétique et secouer pour bien mélanger le tout.

5 Verser la sauce sur les feuilles de salade, parsemer de cacahuètes grillées et servir.

CONSEIL

Choisissez des feuilles bien incurvées afin qu'elles puissent contenir la salade. Vous pouvez également remplacer la laitue par du chou chinois. Pour effeuiller le chou sans déchirer les feuilles, entaillez-les à la base pour les séparer du pied. Vous pourrez ensuite les détacher sans difficulté.

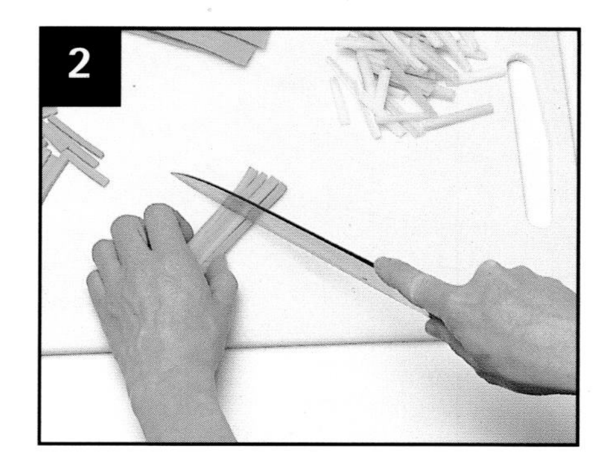
2

3

5

Salade de carottes et de mangue

Très rafraîchissante, cette salade de carottes peut accompagner une viande en sauce épicée ou du poisson. À préparer une à deux heures à l'avance et à conserver au réfrigérateur avant de servir.

4 personnes

INGRÉDIENTS

4 carottes
1 petite mangue mûre
200 g de tofu ferme
1 cuil. à soupe de ciboulette fraîche hachée

ASSAISONNEMENT
2 cuil. à soupe de jus d'orange
1 cuil. à soupe de jus de citron vert
1 cuil. à café de miel liquide
1/2 cuil. à café d'eau de fleur d'oranger
1 cuil. à café d'huile de sésame
1 cuil. à café de graines de sésame grillées

1 Éplucher et râper grossièrement les carottes. Peler la mangue, retirer le noyau et couper la chair en tranches épaisses.

2 Couper le tofu en dés de 1,5 cm et mélanger avec la mangue et la carotte dans un grand saladier.

3 Pour l'assaisonnement, mettre tous les ingrédients dans un bocal hermétique et secouer pour bien mélanger le tout.

4 Verser la sauce sur la salade et remuer.

5 Remuer légèrement la salade, parsemer de ciboulette et servir immédiatement.

CONSEIL

Râpez les carottes dans un robot de cuisine. Cette économie de temps peut vous être très utile, en particulier si vous recevez un grand nombre d'invités.

2

3

4

Salade de pousses de bambou

En Thaïlande, on utilisera des pousses de bambou fraîches mais vous pouvez les remplacer par des pousses de bambou en boîte. Cette recette peut notamment accompagner du porc rôti.

4 personnes

INGRÉDIENTS

2 échalotes
2 gousses d'ail
2 cuil. à soupe de sauce de poisson thaïe
1/2 cuil. à café de flocons de piment séché
1 cuil. à café de sucre cristallisé
1 cuil. à soupe de riz rond
2 cuil. à café de graines de sésame
350 g de pousses de bambou en boîte, égouttées
3 cuil. à soupe de jus de citron vert
2 oignons verts, émincés
lanières de chou chinois ou de laitue, en accompagnement
feuilles de menthe, en garniture

1 Passer les échalotes et les gousses d'ail au gril préchauffé à température moyenne et cuire jusqu'à ce qu'elles soient grillées à l'extérieur et fondantes à l'intérieur. Retirer la peau et piler dans un mortier, jusqu'à obtention d'une pâte lisse.

2 Mélanger la pâte à base d'échalotes avec la sauce de poisson, le jus de citron vert, les flocons de piment et le sucre.

3 Mettre le riz et les graines de sésame dans une grande poêle à fond épais et faire revenir jusqu'à ce que le mélange soit bien doré, en secouant la poêle pour cuire uniformément. Retirer du feu et piler légèrement dans un mortier.

4 À l'aide d'un couteau tranchant, couper les pousses de bambou en fine julienne et mélanger avec la pâte aux échalotes, en remuant bien. Incorporer le riz, les graines de sésame et les oignons verts émincés.

5 Disposer la salade au centre d'un plat de service et mettre les feuilles de chou chinois autour. Garnir de feuilles de menthe et servir.

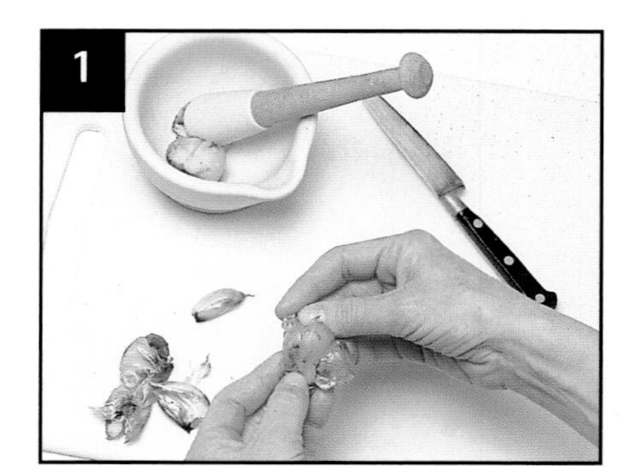

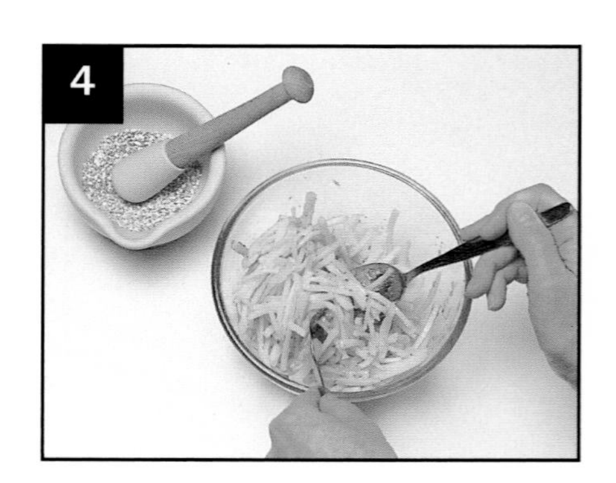

Salade de bœuf aigre-piquante

Les Thaïlandais mangent essentiellement du poisson, et le bœuf apparaît au menu uniquement les jours de fêtes, parfumé d'herbes, d'épices et de légumes colorés.

4 personnes

INGRÉDIENTS

1 cuil. à café de grains de poivre
1 cuil. à café de graines de coriandre
1 piment oiseau séché
1/4 de cuil. à café de poudre de cinq-épices
250 g de filet de bœuf
1 cuil. à soupe de sauce de soja épaisse
6 oignons verts
1 carotte
1/4 concombre
8 radis
1/4 de chou chinois
2 cuil. à soupe d'huile d'arachide
1 gousse d'ail, hachée
1 cuil. à café de lemon-grass, haché
1 cuil. à soupe de menthe fraîche hachée
1 oignon rouge
1 cuil. à soupe de coriandre fraîche hachée

ASSAISONNEMENT
3 cuil. à soupe de jus de citron vert
1 cuil. à soupe de sauce de soja claire
2 cuil. à café de sucre roux
1 cuil. à café d'huile de sésame

1 Piler le poivre, les graines de coriandre et le piment dans un mortier et mélanger avec la poudre de cinq-épices. Verser le mélange sur une assiette. Enduire les tranches de filets de bœuf de sauce de soja et passer dans les épices.

2 Couper les oignons verts en tronçons de 6 cm et en fines lanières. Mettre dans une terrine d'eau glacée, laisser tremper jusqu'à ce qu'elles se recourbent et égoutter soigneusement.

3 Éplucher la carotte et couper en rondelles très fines. Couper le concombre en deux dans la longueur, retirer les graines et couper en fines rondelles. Équeuter les radis et tailler en forme de fleurs.

4 Couper l'oignon rouge en fines rondelles, ciseler grossièrement le chou chinois et mélanger tous les légumes dans un grand saladier.

5 Chauffer l'huile dans une grande poêle à fond épais et faire revenir l'ail et le lemon-grass, jusqu'à ce qu'ils commencent à dorer. Ajouter le bœuf et cuire 3 à 4 minutes, en retournant une fois ou plus, selon l'épaisseur du steak. Retirer la poêle du feu.

6 Couper le steak en fines tranches et incorporer à la salade avec la menthe et la coriandre. Mélanger les ingrédients de l'assaisonnement, incorporer au contenu de la poêle et verser le tout sur la salade. Servir.

1

2

Desserts & Boissons

Un panier de fruits tropicaux frais, comprenant souvent des mangues parfumées, des mangoustans, des jaques, des goyaves, des litchis ou des ramboutans, clôture normalement un repas thaïlandais. Les desserts thaïs et les mets sucrés sont préparés à la maison et servis comme entremets entre les plats, ou sont affaire de spécialistes quand il s'agit de banquets ou d'occasions spéciales, car ils nécessitent souvent une préparation longue et complexe.

Même les plus simples fruits au sirop sont délicatement parfumés au jasmin ou à la rose et sont habituellement servis accompagnés de quelques cuillerées de riz gluant. D'autres sont pochés dans du lait de coco et sucrés ou caramélisés avec du sucre de palme.

Comme dans tous plats thaïs, la noix de coco occupe une place de choix dans les recettes sucrées, sous forme de lait ou de crème dans les flans, les crèmes ou les gelées délicatement parfumées ou en rubans en décoration. Le riz, la plupart du temps gluant, et le tapioca sont des ingrédients vitaux dans la préparation de gâteaux et autres mets sucrés. On lui donne souvent des couleurs subtiles ou une forme particulière grâce à des moules. On peut aussi le faire tremper dans des sirops parfumés ou le parfumer avec de l'encens.

Nombre de boissons thaïes sont colorées et exotiques et préparées de façon à rendre le meilleur des fruits et du lait de coco qui les composent, dans des boissons rafraîchissantes, agrémentées de sucre de palme et souvent relevées d'une dose de whisky local ou autre liqueur.

Mangues au sirop de lemon-grass

Un délicieux dessert ou goût très frais et facile à préparer, idéal à servir avec un bon repas. Servez la mangue légèrement rafraîchie.

4 personnes

INGRÉDIENTS

2 grosses mangues mûres
1 citron vert
1 tige de lemon-grass, coupée en morceaux
3 cuil. à soupe de sucre en poudre

1 Couper les mangues en deux, retirer le noyau et la peau.

2 Couper la pulpe en longues tranches et disposer sur un plat de service en une seule couche.

3 Découper quelques zestes de citron vert pour la décoration, le couper deux et le presser.

4 Mettre le jus de citron vert dans une petite casserole avec le sucre et le lemon-grass. Chauffer à feu doux sans porter à ébullition, jusqu'à ce que le sucre soit complètement dissous, retirer du feu et laisser refroidir complètement.

5 Filtrer le sirop au chinois et verser sur les mangues.

6 Parsemer de zeste de citron vert, couvrir de film alimentaire et réserver au frais avant de servir.

CONSEIL

Si vous servez ce dessert un jour de grande chaleur, et en particulier s'il doit rester un long moment sur la table, mettez le plat sur un lit de glace pilée afin de le garder frais.

2

4

5

Salade de fruits exotiques

Véritable régal pour les yeux, cette salade exotique est délicatement parfumée de thé au jasmin et de gingembre. À servir frais pour conserver toutes les saveurs des fruits.

6 personnes

INGRÉDIENTS

1 cuil. à café de thé au jasmin
1 cuil. à café de gingembre râpé
1 zeste de citron vert
125 ml d'eau bouillante
2 cuil. à soupe de sucre en poudre
1 papaye
1 mangue
1/2 petit ananas
1 carambole
2 fruits de la passion

1 Mettre le thé, le gingembre et le zeste de citron dans une jatte résistant à la chaleur et verser l'eau bouillante. Laisser infuser 5 minutes et filtrer.

2 Ajouter le sucre au thé, bien mélanger jusqu'à ce qu'il soit dissous et laisser refroidir.

3 Couper la papaye en deux, retirer les graines et la peau. Répéter l'opération avec la mangue et l'ananas. Couper tous les fruits en petits morceaux à l'exception de la carambole.

4 Couper la carambole en forme d'étoiles. Mettre tous les fruits dans une jatte et napper de sirop. Couvrir de film alimentaire et réfrigérer 1 heure.

5 Couper le fruit de la passion en deux, retirer les graines et la pulpe à l'aide d'une cuillère et mélanger avec le jus de citron vert. Verser sur la salade de fruits et servir immédiatement.

CONSEIL

Les caramboles n'ont pas beaucoup de saveur lorsqu'elles sont encore vertes mais, une fois mûres, elles deviennent jaunes et très parfumées. Souvent, à ce moment-là, l'extrémité des côtes a tourné au brun, il faut donc les retirer avant de les couper en tranches. Pour ce faire, la méthode la plus simple et la plus rapide consiste à utiliser un économe.

Glace à la rose

Bien plus original que la traditionnelle crème glacée, ce granité délicatement parfumé est décoré de pétales de rose.

4 personnes

INGRÉDIENTS

350 ml d'eau
2 cuil. à soupe de crème de coco
4 cuil. à soupe de lait concentré
quelques gouttes de colorant alimentaire rose (facultatif)
2 cuil. à café d'eau de rose
pétales de rose (de fleur non traitée), en décoration

1 Mettre l'eau et la crème de coco dans une petite casserole et chauffer à feu doux, sans porter à ébullition, jusqu'à ce que la noix de coco soit dissoute.

2 Retirer du feu et laisser refroidir. Incorporer le lait concentré, l'eau de rose et les colorants alimentaires.

3 Transférer la préparation dans une sorbetière et mettre au congélateur 1 heure à 1 h 30, jusqu'à ce qu'elle prenne une consistance de glace fondue.

4 Retirer du congélateur, battre à la fourchette pour briser les cristaux et remettre au congélateur jusqu'à ce que la préparation soit ferme.

5 Disposer quelques cuillerées de glace sur un plat de service et décorer de pétales de rose.

CONSEIL

Pour empêcher la glace de fondre trop rapidement à table, mettez le plat dans un récipient rempli de glace pilée.

1

2

4

Sorbet à la mangue et au citron vert

Un sorbet rafraîchissant est idéal pour terminer un repas thaïlandais. Les mangues apportent à cette recette une texture douce et veloutée.

4 personnes

INGRÉDIENTS

6 cuil. à soupe de sucre en poudre
125 ml d'eau
zeste râpé de 3 citrons verts
9 cuil. à soupe de jus de citron vert
2 cuil. à soupe de crème de coco
2 grosses mangues mûres
copeaux de noix de coco fraîche grillés, en décoration

1 Chauffer le sucre, l'eau et le zeste de citron vert dans une petite casserole, en remuant à feu doux, jusqu'à ce que le sucre soit dissous. Porter à ébullition 2 minutes pour que le sirop réduise légèrement, retirer du feu et filtrer au-dessus d'une jatte. Incorporer la crème de coco, remuer jusqu'à ce qu'elle soit dissoute et laisser refroidir.

2 Couper les mangues en deux, retirer le noyau et la peau, et couper en dés. Mixer dans un robot de cuisine avec le jus de citron vert jusqu'à obtention d'une pâte lisse.

3 Verser le sirop refroidi dans la purée de mangue et bien mélanger. Verser dans un récipient résistant au froid et mettre au congélateur 1 heure, jusqu'à ce le sorbet commence à prendre.

4 Retirer le récipient du congélateur et mixer à l'aide d'un batteur électrique pour briser les cristaux. Remettre 1 heure au congélateur et mixer de nouveau jusqu'à ce que le sorbet soit lisse.

5 Couvrir le récipient et remettre au congélateur, jusqu'à ce qu'il soit ferme. Retirer du congélateur et laisser 15 minutes à température ambiante avant de servir. Parsemer de noix de coco grillée et servir.

CONSEIL

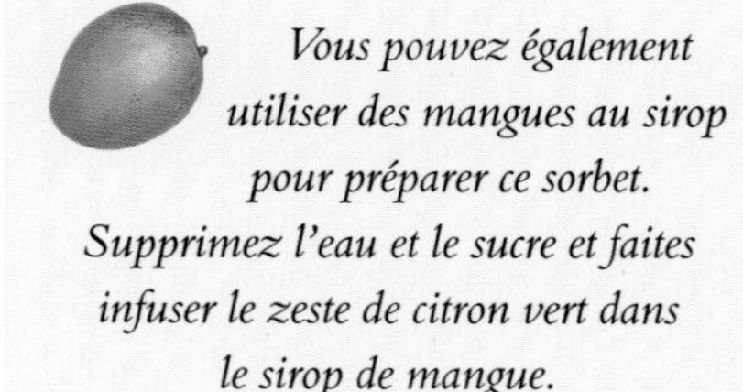

Vous pouvez également utiliser des mangues au sirop pour préparer ce sorbet. Supprimez l'eau et le sucre et faites infuser le zeste de citron vert dans le sirop de mangue.

1

3

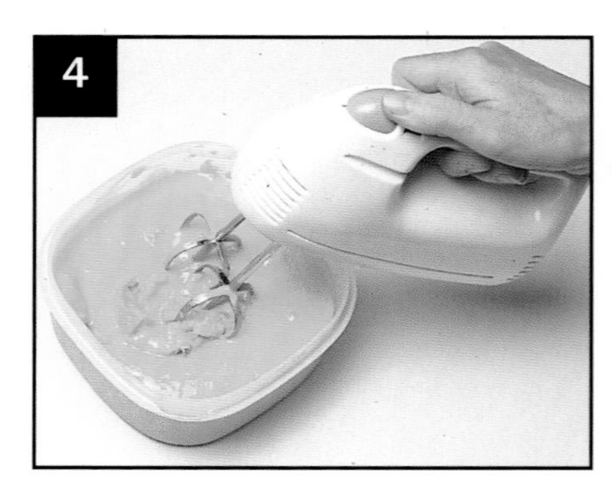

4

Sorbet aux litchis et au gingembre

Ce délicieux sorbet est très facile à préparer et peut être servi seul ou avec vos desserts. Idéal après un bon repas, servez-le frais accompagné d'une salade de fruits par exemple.

4 personnes

INGRÉDIENTS

800 g de litchis au sirop en boîte
zeste râpé d'un citron vert
2 blancs d'œuf
2 cuil. à soupe de jus de citron vert
3 cuil. à soupe de sirop de gingembre confit

DÉCORATION
tranches de carambole
morceaux de gingembre confit

1 Égoutter les litchis en réservant le sirop. Mettre les fruits dans un robot de cuisine et mixer avec le zeste et le jus de citron vert et le sirop de gingembre confit, jusqu'à obtention d'un mélange homogène.

2 Mélanger la préparation obtenue avec le sirop des litchis et verser le tout dans un récipient résistant au froid ou une sorbetière et mettre 1 heure à 1 h 30 au congélateur jusqu'à ce que le sorbet commence à prendre.

3 Retirer du congélateur et battre le mélange pour briser les cristaux. Dans une jatte à part, battre les blancs d'œuf en neige ferme et incorporer délicatement au sorbet.

4 Remettre au congélateur jusqu'à ce que le sorbet soit ferme. Servir quelques boules de sorbet décorées de tranches de carambole et de gingembre.

CONSEIL

Les blancs d'œufs crus ne sont pas recommandés aux jeunes enfants, aux femmes enceintes, aux personnes âgées et aux personnes souffrant de maladie chronique. Ils peuvent être supprimés de cette recette mais il faudra battre le sorbet une seconde fois, après 1 heure supplémentaire de congélation pour que sa texture soit légère.

1

Ananas à la cardamome et au citron vert

Les ananas thaïs sont sucrés et très parfumés, et constituent un excellent dessert. Servez-les frais et joliment découpés.

4 personnes

INGRÉDIENTS

1 ananas
2 graines de cardamome
1 zeste de citron vert
1 cuil. à soupe de sucre roux
3 cuil. à soupe de jus de citron vert

DECORATION
feuilles de menthe fraîches

1 Couper la base et le sommet de l'ananas, retirer la peau et les « yeux » de la chair. Couper en quatre retirer le cœur et couper en tranches dans la hauteur.

2 Piler les graines de cardamome dans un mortier et mettre dans une casserole avec le jus de citron vert et 4 cuillerées à soupe d'eau. Porter à ébullition et laisser frémir 30 secondes.

3 Retirer du feu, ajouter le sucre et couvrir. Laisser infuser 5 minutes.

4 Remuer jusqu'à ce que le sucre soit dissous, ajouter le jus de citron vert et passer le sirop au chinois au-dessus de l'ananas. Laisser refroidir 30 minutes.

5 Dresser l'ananas sur un plat de service, arroser de sirop et servir.

CONSEIL

Pour retirer les « yeux » de la chair de l'ananas, enlevez d'abord la peau puis, à l'aide d'un couteau tranchant, creusez de petits canaux en V, en taillant la chair obliquement pour que les canaux dessinent une spirale autour du fruit et ainsi éliminent les yeux.

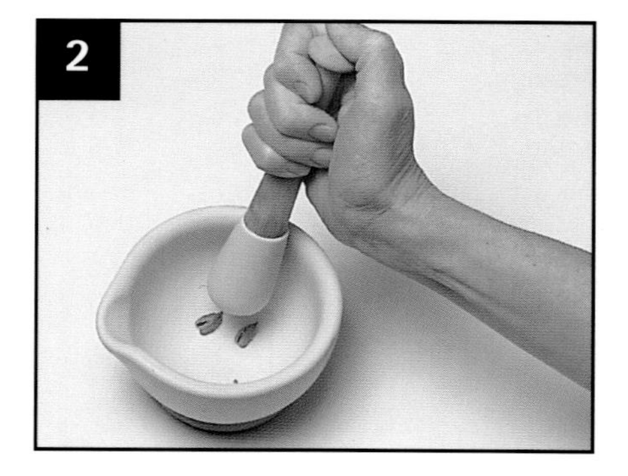

Flans à la noix de coco

Un dessert facile à réaliser aux saveurs exotiques et à la texture voluptueuse. Les flans seront délicieux accompagnés de tranches de mangue et de papaye.

4 personnes

INGRÉDIENTS

1 cuil. à café de beurre fondu
6 gros œufs
350 ml de lait de coco
90 g de sucre roux
1 pincée de sel
morceaux de noix de coco et zestes de citron vert, en décoration

1 Beurrer un moule à manqué carré d'environ 15 cm de côté et 4 cm de profondeur.

2 Battre les œufs dans une jatte et incorporer le lait de coco, le sucre et le sel.

3 Mettre la jatte dans une casserole d'eau frémissante, chauffer 15 minutes en remuant, jusqu'à ce que le contenu de la jatte commence à épaissir et verser dans le moule.

4 Cuire le flan au four préchauffé, à 180 °C (th. 6), 20 à 25 minutes, jusqu'à ce qu'il commence à prendre. Retirer du four et laisser refroidir complètement.

5 Couper le flan en carrés et servir, parsemé de copeaux de noix de coco et de zeste de citron vert.

CONSEIL

Surveillez bien le flan pendant qu'il est dans le four car une cuisson trop longue gâcherait sa texture. À sa sortie du four, le flan doit être à peine cuit et encore presque liquide à l'intérieur. Il deviendra tout à fait solide en refroidissant.

2

3

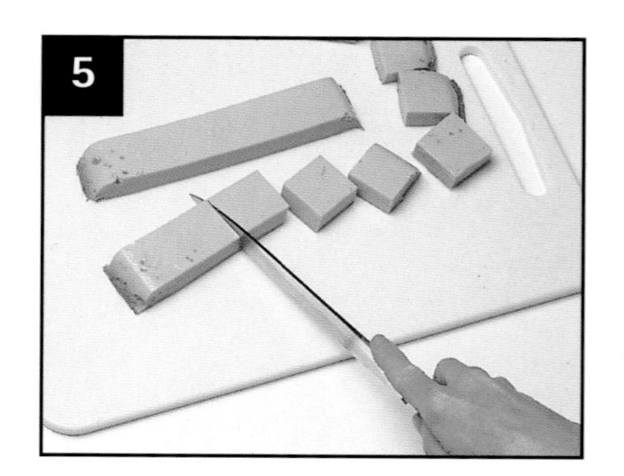
5

Gâteaux de riz aux haricots mungo

Les haricots mungo donnent à ces gâteaux de riz une texture originale et sont un véritable délice accompagnés de crème fraîche.

6 personnes

INGRÉDIENTS

40 g de haricots mungo séchés
2 gros œufs, battus
175 ml de lait de coco
60 g de sucre en poudre
1 cuil. à soupe de farine de riz
1 cuil. à café de cannelle en poudre

DÉCORATION
fins rubans de zeste de citron vert
jus de citron vert
cannelle en poudre, pour saupoudrer

1 Mettre les haricots mungo dans une casserole et recouvrir d'eau. Porter à ébullition, réduire le feu et cuire 30 à 40 minutes, jusqu'à ce que les haricots soient bien tendres. Bien égoutter.

2 Écraser les haricots et passer au chinois, jusqu'à obtention d'une pâte lisse. Mettre dans une jatte avec les œufs, le lait de coco, le sucre en poudre, la farine de riz et la cannelle en poudre, et battre jusqu'à obtention d'un mélange homogène.

3 Beurrer et chemiser des ramequins de 150 ml et verser la pâte. Mettre sur une feuille de papier sulfurisé et cuire au four préchauffé, à 180 °C (th. 6), 20 à 25 minutes, jusqu'à ce qu'ils soient juste cuits.

4 Laisser refroidir et passer la lame d'un couteau le long des parois des ramequins pour détacher les gâteaux et démouler sur un plat. Parsemer de zeste de citron vert, saupoudrer de cannelle et ajouter du jus de citron vert. Servir avec de la crème fouettée ou fraîche.

CONSEIL

Les haricots mungo en boîte permettent de gagner du temps. Sautez l'étape 1, égouttez et rincez bien à l'eau courante avant de les réduire en purée.

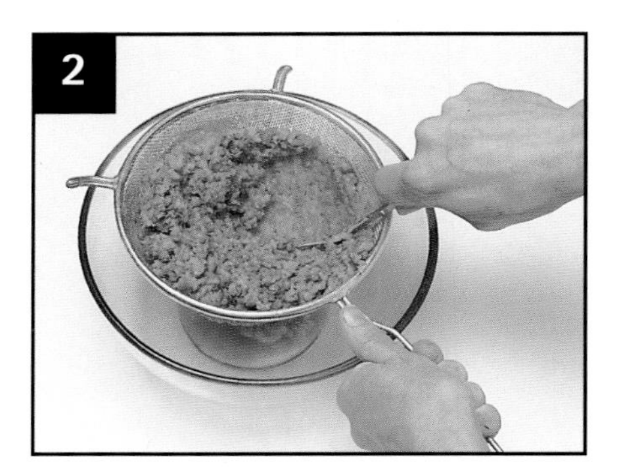
2

4

5

Beignets de banane à la noix de coco

Ce dessert classique sera irrésistible accompagné d'un filet de jus de citron vert et d'une cuillerée de crème glacée à la vanille.

4 personnes

INGRÉDIENTS

9 cuil. à soupe de farine
2 cuil. à soupe de farine de riz
1 cuil. à soupe de sucre en poudre
1 œuf, blanc et jaune séparés
150 ml de lait de coco
4 grosses bananes
huile de tournesol, pour la friture

DÉCORATION
1 cuil. à café de sucre glace
1 cuil. à café de cannelle en poudre

1 Tamiser la farine, la farine de riz et le sucre dans une jatte et ménager un puits au centre. Ajouter le jaune d'œuf et le lait de coco, et battre le tout jusqu'à obtention d'une pâte lisse et épaisse.

2 Dans une autre jatte, battre les blancs d'œuf en neige ferme et incorporer à la préparation précédente.

3 Chauffer 6 cm d'huile dans une grande sauteuse à 180 °C. Couper les bananes en deux et tremper rapidement les morceaux dans la pâte. Plonger délicatement dans l'huile et faire frire 2 à 3 minutes, en plusieurs fois, en retournant une fois, jusqu'à ce que les beignets soient bien dorés.

4 Égoutter soigneusement sur du papier absorbant, saupoudrer de sucre glace et de cannelle, et servir immédiatement.

CONSEIL

Si vous en trouvez, achetez des petites bananes, qui sont très appréciées pour ce plat en Asie, gardez-les entières pour les enrober de pâte et les faire frire.

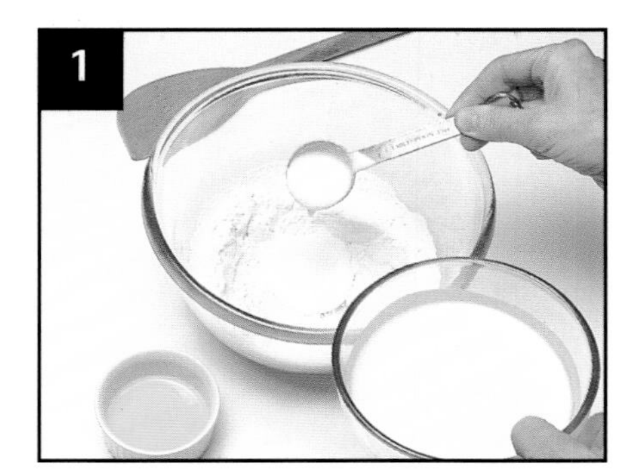

Bananes au lait de coco

La cuisine thaïe associe souvent les fruits et les légumes. D'ailleurs, cette délicieuse recette marie les bananes et les haricots mungo, un dessert que vous pourrez servir froid ou chaud.

4 personnes

INGRÉDIENTS

4 grosses bananes
310 ml de lait de coco
2 cuil. à soupe de sucre en poudre
$^{1}/_{2}$ cuil. à café d'eau de fleur d'oranger
1 cuil. à soupe de menthe fraîche hachée
2 cuil. à soupe de haricots mungo cuits
1 pincée de sel

1 Peler les bananes, couper en petits tronçons et mettre dans une casserole avec le lait de coco, le sucre en poudre et le sel.

2 Chauffer la préparation à feu doux, cuire 1 minute et retirer du feu.

3 Arroser d'eau de fleur d'oranger, ajouter la menthe et verser le tout dans un plat de service.

4 Mettre les haricots mungo dans une poêle à fond épais et cuire à feu vif, jusqu'à ce qu'ils soient croquants et dorés, en secouant la poêle de temps en temps. Retirer les haricots de la poêle et piler légèrement dans un mortier.

5 Parsemer les bananes des haricots grillés et servir chaud ou froid selon son goût.

CONSEIL

Vous pouvez remplacer les haricots mungo par des noisettes ou des amandes effilées et grillées.

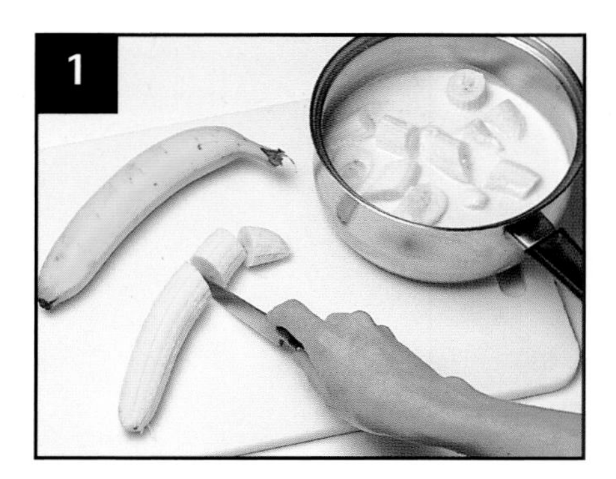
1

4

5

Pommes caramélisées aux graines de sésame

Cette recette est une version thaïlandaise d'un dessert chinois. La préparation de ces tranches de fruits caramélisées demandent un peu de pratique. Vous pouvez également utiliser des bananes.

4 personnes

INGRÉDIENTS

120 g de farine
1 œuf moyen
125 ml d'eau froide
4 pommes à couteau croquantes
2 cuil. à soupe 1/2 de graines de sésame
150 g de sucre en poudre
2 cuil. à soupe d'huile
huile, pour la friture

1 Battre la farine, l'œuf et l'eau dans une jatte, jusqu'à obtention d'une pâte lisse et épaisse.

2 Évider les pommes et les couper en huit. Plonger les morceaux de pomme dans la pâte et ajouter les graines de sésame en remuant.

3 Mettre le sucre et 2 cuillerées à soupe d'huile dans une poêle à fond épais, chauffer jusqu'à ce que le sucre soit dissous et remuer jusqu'à ce que le sirop commence à peine à blondir. Retirer du feu et réserver au chaud.

4 Chauffer l'huile à 180 °C dans une poêle ou un wok. Retirer les morceaux de pomme de la pâte à l'aide de baguettes ou de pinces, les plonger dans l'huile chaude et faire frire 2 à 3 minutes, jusqu'à ce que les pommes soient bien dorées et croustillantes.

5 Retirer à l'aide d'une spatule et tremper dans le sirop de sucre. Tremper dans de l'eau glacée et sécher sur du papier sulfurisé. Servir.

CONSEIL

Prenez garde de ne pas trop faire chauffer le sirop, il deviendrait difficile à travailler et commencerait à brûler. S'il commence à être trop solide avant que vous ayez terminé d'y tremper les quartiers de pomme, replacez-le sur le feu jusqu'à ce qu'il redevienne liquide.

1

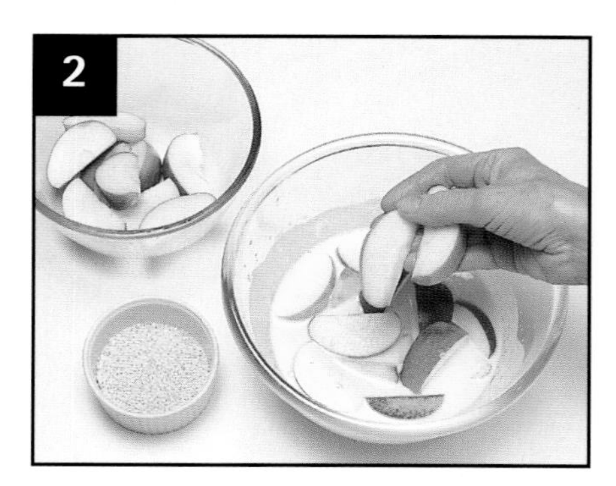

2

5

Gâteau de riz à la thaïlandaise

Ces gâteaux de riz crémeux et délicatement parfumés sont délicieux nappés de crème à la noix de coco. Servez-les chauds ou patientez un jour avant de les déguster.

4 personnes

INGRÉDIENTS

60 g de riz rond
2 cuil. à soupe de sucre de palme
ou de sucre roux
1 graine de cardamome, coupée en deux
300 ml de lait de coco
150 ml d'eau
3 œufs moyens
1 cuil. à soupe 1/2 de sucre en poudre
225 ml de crème de coco
fruits frais, en accompagnement
copeaux de noix de coco sucrés,
en décoration

1 Mettre le riz et le sucre de palme dans une casserole, piler la graine de cardamome dans un mortier et ajouter à la casserole avec le lait de coco et l'eau.

2 Porter à ébullition en remuant pour faire fondre le sucre, réduire le feu et laisser mijoter 20 minutes à découvert, en remuant, jusqu'à ce que le riz soit tendre et que le liquide soit presque entièrement évaporé.

3 Répartir le riz dans 4 moules individuels et disposer dans un plat allant au four à moitié rempli d'eau.

4 Battre les œufs avec la crème de coco et le sucre en poudre, et verser le mélange obtenu sur le riz. Couvrir de papier d'aluminium et cuire au four préchauffé, à 180 °C (th. 6), 40 à 45 minutes, jusqu'à ce que les gâteaux soient cuits.

5 Servir les gâteaux de riz tièdes ou froids, accompagnés de fruits frais et parsemés de copeaux de noix de coco.

CONSEIL

La cardamome est une épice au goût puissant. Si vous la trouvez trop forte, supprimez-la complètement ou remplacez-la par un peu de cannelle.

1

3

4

Gâteaux de riz gluant

Le riz gluant est la base de nombre de desserts thaïlandais comme ces petites gâteaux typiques. Ils sont souvent colorés avec des colorants alimentaires et trempés dans des sirops parfumés aux fleurs. Un régal pour les enfants !

4 personnes

INGRÉDIENTS

180 g de riz gluant
colorants alimentaires vert et rose
300 g de sucre en poudre
300 ml d'eau
quelques pétales de rose ou fleurs de jasmin, en décoration

1 Mettre le riz dans une jatte, couvrir d'eau froide et laisser tremper 3 heures ou toute une nuit.

2 Égoutter le riz et bien rincer à l'eau courante.

3 Chemiser un panier à étuver de mousseline et ajouter le riz. Mettre le panier au-dessus de l'eau bouillante et cuire le riz 30 minutes à la vapeur. Retirer et laisser refroidir.

4 Chauffer le sucre et l'eau à feu doux, jusqu'à ce que le sucre soit dissous et porter à ébullition 4 à 5 minutes, jusqu'à ce que le sirop réduise. Retirer de la casserole et réserver.

5 Diviser le riz en deux, colorer une moitié en vert, l'autre en rose, et façonner de petites boulettes.

6 À l'aide de fourchettes, plonger les boulettes dans le sirop, égoutter l'excédent et disposer sur un plat. Parsemer de pétales de rose et de fleurs de jasmin.

CONSEIL

Vous pouvez également façonner le riz dans de petits moules et leur donner une forme tronconique comme sur la photo ci-contre.

Pancakes aux bananes

*Ces petits pancakes à la banane arrosés d'un filet de jus de citron sont irrésistibles !
À déguster à tout moment de la journée.*

6 personnes

INGRÉDIENTS

150 g de farine
1 pincée de sel
4 œufs moyens, battus
300 ml de lait de coco
2 grosses bananes mûres, épluchées et écrasées
huile, pour la friture
rondelles de banane, pour décorer
sucre glace
6 cuil. à soupe de jus de citron vert
crème de coco, en accompagnement

1 Mixer la farine, le sel, les œufs, les bananes et le lait de coco dans un robot de cuisine, jusqu'à obtention d'une pâte lisse, ou tamiser la farine et le sel dans une jatte, ménager un puits au centre et incorporer les ingrédients en battant.

2 Réserver 1 heure au frais. Retirer du réfrigérateur et battre légèrement. Chauffer un peu d'huile dans une poêle, jusqu'à ce qu'elle soit très chaude.

3 Déposer quelques cuillerées à soupe de pâte dans l'huile. Laisser dorer un côté, retourner et faire dorer l'autre côté.

4 Cuire la totalité de la pâte en plusieurs fois jusqu'à obtention d'environ 36 pancakes. Retirer de la poêle et égoutter sur du papier absorbant.

5 Empiler les pancakes en intercalant des rondelles de banane. Arroser de jus de citron vert et saupoudrer de sucre glace. Servir avec de la crème de coco.

CONSEIL

Ces pancakes sont meilleurs chauds lorsqu'ils viennent d'être cuits. Tenez-les au chaud au four tiède pendant que vous faites cuire les autres.

1

3

4

Crêpes à la noix de coco

Ces fines crêpes à la noix de coco sont vendues par les marchands de rue thaïlandais, souvent colorées de rose ou de vert avec les feuilles de pandanus. Vous pouvez ajouter un peu de colorant alimentaire pour apporter de la couleur, surtout si vous accompagnez ce dessert de fruits frais.

4 personnes

INGRÉDIENTS

120 g de farine de riz
3 cuil. à soupe de sucre en poudre
1 pincée de sel
2 œufs moyens
600 ml de lait de coco
4 cuil. à soupe de copeaux de noix de coco
1 mangue fraîche ou 1 banane, en accompagnement
huile, pour la friture
2 cuil. à soupe de sucre de palme ou de sucre roux, pour décorer

1 Mettre la farine, le sucre et le sel dans une jatte et ajouter les œufs et le lait de coco, en battant jusqu'à obtention d'une pâte homogène, ou mixer tous les ingrédients dans un robot de cuisine, jusqu'à obtention d'une pâte lisse. Ajouter la moitié de la noix de coco.

2 Chauffer un peu d'huile dans une grande poêle à fond épais et verser un peu de pâte, en la répartissant bien au fond de la poêle. Cuire jusqu'à ce que le dessous de la crêpe soit légèrement doré, retourner la crêpe et faire dorer rapidement l'autre côté.

3 Retirer de la poêle et réserver au chaud.

4 Servir les crêpes pliées ou roulées, accompagné de tranches de mangue ou de rondelles de banane. Saupoudrer de sucre de palme et parsemer de noix de coco grillée restante.

CONSEIL

La farine de riz permet de donner une texture plus légère aux crêpes mais si vous ne pouvez pas vous en procurer, vous pouvez la remplacer par de la farine ordinaire.

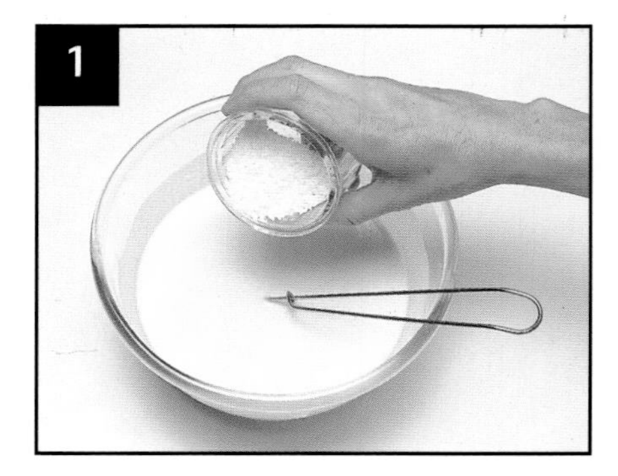
1

2

3

Gâteau à la noix de coco, au sirop de citron vert et au gingembre

Ce gâteau à la noix de coco cuit à l'étuvée, imbibé de jus de citron vert et de sirop de gingembre, fait partie des desserts thaïs typiques. Servez-le en petites parts car il est très nourrissant et sucré.

8 personnes

INGRÉDIENTS

2 gros œufs, blancs et jaunes séparés
1 pincée de sel
60 g de sucre en poudre
5 cuil. à soupe de beurre, fondu et refroidi
5 cuil. à soupe de lait de coco
150 g de farine levante
1/2 cuil. à café de levure chimique
3 cuil. à soupe de copeaux de noix de coco
4 cuil. à soupe de sirop de gingembre confit
3 cuil. à soupe de jus de citron vert

DÉCORATION
3 morceaux de gingembre confit
noix de coco fraîche, râpée

1 Chemiser un panier à étuver d'environ 17 cm de diamètre de papier sulfurisé d'environ 33 cm de diamètre.

2 Battre les œufs en neige ferme dans une jatte avec le sel. Incorporer petit à petit le sucre, par cuillerée à soupe, en battant après chaque ajout pour que les blancs restent fermes.

3 Battre les jaunes d'œufs et incorporer le beurre et le lait de coco. Tamiser la farine et la levure dans le mélange obtenu et incorporer le tout aux blancs d'œuf à l'aide d'une grande cuillère métallique. Ajouter la noix de coco.

4 Verser dans le panier à étuver chemisé et replier les bords du papier sulfurisé sur le mélange. Mettre au-dessus de l'eau bouillante, couvrir et cuire 30 minutes à la vapeur.

5 Retourner le gâteau dans une assiette, retirer le papier sulfurisé et laisser tiédir. Mélanger le jus de citron vert et le gingembre dans une jatte et verser le tout sur le gâteau. Découper en gros cubes et décorer de tranches de gingembre confit et de copeaux de noix de coco fraîche.

Cheveux d'or

La réalisation de ces petites lanières d'œufs demande un peu de pratique mais ce dessert typiquement thaïlandais est vraiment délicieux. Ces cheveux d'or représentent le geste que les thaïlandais font avec les mains pour accueillir. En Thaïlande, on utilise un outil spécial pour réaliser ces fines lanières d'œufs mais vous pouvez vous servir d'une poche à douille.

4 personnes

INGRÉDIENTS

7 jaunes d'œuf
1 cuil. à soupe de blanc d'œuf
300 g de sucre cristallisé
225 ml d'eau
1 poignée de fleurs de jasmin parfumé (non traité)

ACCOMPAGNEMENT
graines de grenade
tranches de kiwi
tranches de pomme

1 Passer les jaunes et le blanc d'œuf au chinois et battre légèrement.

2 Mettre le sucre et l'eau dans une grande casserole et chauffer à feu doux, jusqu'à ce que le sucre soit dissous. Ajouter les fleurs de jasmin, porter rapidement à ébullition, jusqu'à obtention d'un sirop épais, et retirer les fleurs à l'aide d'une écumoire.

3 Porter le sirop à ébullition. À l'aide d'une douille de pâtisserie munie d'un embout fin, plonger le mélange aux œufs dans le sirop en façonnant des filaments pour obtenir des nids ou des pyramides.

4 Une fois cuits, retirer délicatement de la casserole et égoutter soigneusement sur du papier absorbant. Disposer sur un plat chaud et décorer de fruits frais.

CONSEIL

Si vous ne trouvez pas de fleurs de jasmin fraîches, remplacez-les par quelques gouttes d'eau de rose ou de fleur d'oranger à ajouter au sirop.

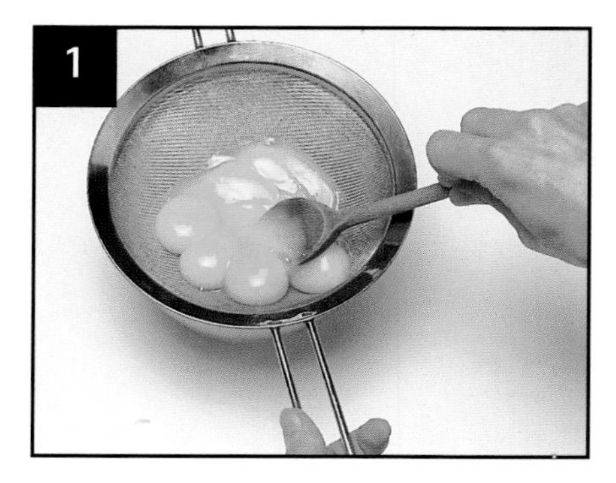
1

3

4

Boisson glacée au melon et au gingembre

Véritablement rafraîchissante, cette boisson d'été au melon est rapide et simple à préparer. Si vous ne trouvez pas de limes kafir, des citrons verts conviendront parfaitement.

4 personnes

INGRÉDIENTS

6 cuil. à soupe de vin de gingembre
3 cuil. à café jus de lime kafir
1 melon, d'environ 800 g
glace pilée
1 citron vert

1 Retirer la peau et les graines du melon, et découper la chair en dés. Mettre dans un robot de cuisine avec le jus de citron vert et le vin de gingembre.

2 Mixer le tout à grande vitesse, jusqu'à obtention d'un mélange homogène.

3 Mettre une grande quantité de glace pilée dans quatre verres hauts et verser la purée de melon.

4 Couper le citron vert en fines tranches, pratiquer une incision sur un côté et les pincer sur le bord des verres. Servir immédiatement.

VARIANTE

Pour une version sans alcool, remplacez le vin de gingembre par un filet de ginger ale, directement dans le cocktail. Remplacez le melon par de la pastèque, si c'est la saison, pour varier la saveur. Vous trouverez du vin de gingembre dans certaines épiceries fines ou chez des marchands de vins spécialisés.

1

3

4

Douceur à la mangue et à la noix de coco

Une boisson sans alcool, délicatement parfumée et à la texture veloutée. Vous pouvez la servir à tout moment de la journée et même au petit déjeuner, si vous le souhaitez.

4 personnes

INGRÉDIENTS

2 grosses mangues mûres
1 cuil. à soupe de sucre glace
500 ml de lait de coco
5 glaçons
copeaux de noix de coco grillés, pour décorer

1 Couper les mangues en deux et retirer le noyau. Retirer la peau et couper la chair en cubes.

2 Mettre la chair de mangue dans un robot de cuisine et mixer avec le sucre glace, jusqu'à obtention d'un mélange homogène.

3 Ajouter le lait de coco et la glace pilée, et mixer de nouveau, jusqu'à ce que le mélange mousse.

4 Répartir dans quatre verres hauts et parsemer de copeaux de noix de coco grillés avant de servir.

CONSEIL

Pour donner plus de caractère à ce cocktail (mais peut-être pas pour le petit déjeuner), mixez un trait de rhum blanc avec le lait de coco.

VARIANTE

Si vous n'avez pas de noix de coco grillée, remplacez-la par un peu de gingembre en poudre.

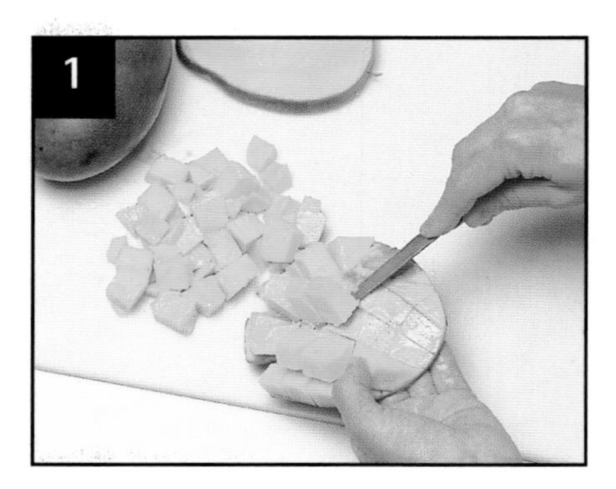

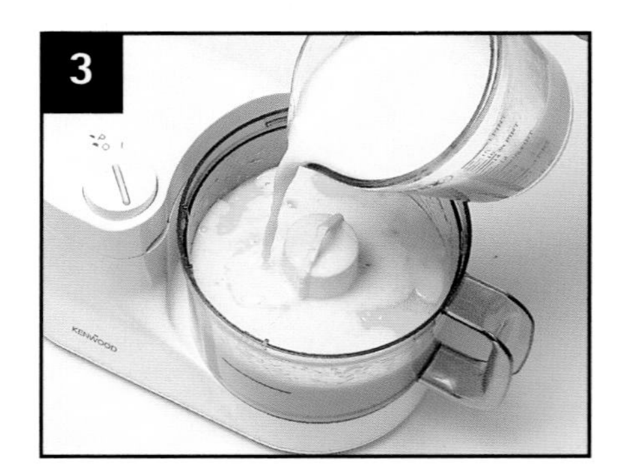

Boisson rafraîchissante au citron vert

Une boisson rafraîchissante et sans alcool à servir dans de grands verres givrés. Vous pouvez éventuellement ajouter un filet de gin ou de vodka.

4 personnes

INGRÉDIENTS

blanc d'œuf et sucre en poudre, pour givrer les bords
2 citrons verts
1 petite tige de lemon-grass
3 cuil. à soupe de sucre en poudre
4 glaçons
125 ml d'eau
4 rondelles de citron vert
eau gazeuse

1 Pour glacer le contour des verres, mettre une petite quantité de blanc d'œuf dans une coupelle. Plonger rapidement le contour des verres et les tremper dans du sucre en poudre.

2 Couper les citrons verts en huit et le lemon-grass en morceaux et mettre dans un robot de cuisine avec le sucre et les glaçons.

3 Ajouter l'eau et mixer le tout quelques secondes, jusqu'à obtention d'un mélange homogène mais pas encore lisse.

4 Filtrer ce mélange au-dessus des verres glacés, décorer les bords de tranches de citron vert et ajouter l'eau gazeuse selon son goût. Servir immédiatement.

CONSEIL

Ne mixez pas les citrons verts trop longtemps, quelques secondes suffisent pour les hacher et en extraire le jus. Si vous les mixez trop longtemps, votre boisson pourrait prendre un goût amer.

1

2

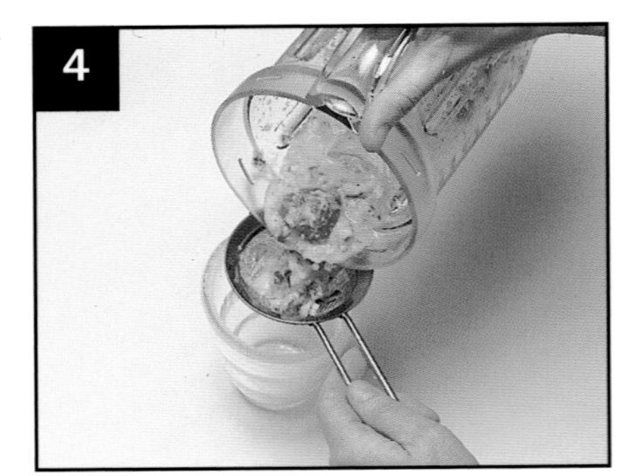
4

Sling thaï

Une version thaïlandaise d'un cocktail classique qui constitue une délicieuse boisson au whisky.

1 personne

INGRÉDIENTS

2 cuil. à soupe de whisky
1 cuil. à soupe d'eau-de-vie de cerise
1 cuil. à soupe de liqueur d'orange
1 trait d'angustura
1 cuil. à soupe de jus de citron vert
1 cuil. à café de sucre de palme ou de sucre roux
2 glaçons
125 ml de jus d'ananas
1 petite tranche d'ananas
1 feuille de menthe fraîche

1 Mettre le whisky, l'eau-de-vie de cerise, la liqueur d'orange, le jus de citron vert, le sucre de palme et l'angustura dans un shaker à cocktails. Secouer pour bien mélanger le tout.

2 Disposer les glaçons dans des grands verres, verser le mélange à base de whisky et compléter avec du jus d'ananas.

3 Pratiquer une entaille dans un morceau d'ananas et disposer sur le bord du verre. Décorer de menthe et servir immédiatement.

CONSEIL

Le whisky est très apprécié par les Thaïlandais même s'ils distillent eux-mêmes un whisky local qui exige un estomac particulièrement résistant.

CONSEIL

Si le jus d'ananas est très sucré comme le sont en général les ananas thaïlandais, il ne sera pas nécessaire d'ajouter de sucre. Si vous n'êtes pas certain, goûtez le cocktail.

Punch aux fruits exotiques

Véritable régal pour les yeux, ce cocktail délicieux peut être réalisé avec toute sorte de fruit. Cette boisson fera grande impression décorée de fruits frais.

6 personnes

INGRÉDIENTS

- 1 petite mangue mûre
- 4 cuil. à soupe de jus de citron vert
- 1 cuil. à café de gingembre finement râpé
- 1 cuil. à soupe de sucre roux
- 300 ml de jus d'orange
- 300 ml de jus d'ananas
- 125 ml de rhum
- glace pilée

DÉCORATION
- rondelles de citron vert
- tranches d'ananas
- carambole

1 Peler la mangue et retirer le noyau. Couper la chair en morceaux et mettre dans un robot de cuisine avec le jus de citron vert, le gingembre et le sucre, et mixer jusqu'à obtention d'un mélange homogène.

2 Ajouter le jus d'orange, le jus d'ananas et le rhum, et mixer de nouveau jusqu'à obtention d'un mélange homogène.

3 Verser sur de la glace pilée et décorer de tranches de citron vert, d'ananas et de carambole.

CONSEIL

Pour allonger un peu plus le punch et faire ressortir la saveur du gingembre, n'hésitez pas à y ajouter un trait de ginger ale.

1

2

3

Index